LE NAUFRAGE
DES CIVILISATIONS

DU MÊME AUTEUR

Aux éditions Grasset

LE Ier SIÈCLE APRÈS BÉATRICE, 1992.

LE ROCHER DE TANIOS, 1993 (prix Goncourt).

LES ÉCHELLES DU LEVANT, 1996.

LES IDENTITÉS MEURTRIÈRES, 1998.

LE PÉRIPLE DE BALDASSARE, 2000.

L'AMOUR DE LOIN (livret), 2001.

ORIGINES, 2004.

ADRIANA MATER (livret), 2006.

LE DÉRÈGLEMENT DU MONDE, 2009.

LES DÉSORIENTÉS, 2012.

DISCOURS DE RÉCEPTION À L'ACADÉMIE FRANÇAISE, 2014.

UN FAUTEUIL SUR LA SEINE, 2016.

Aux éditions Jean-Claude Lattès

LES CROISADES VUES PAR LES ARABES, 1983.

LÉON L'AFRICAIN, 1986.

SAMARCANDE, 1988.

LES JARDINS DE LUMIÈRE, 1991.

AMIN MAALOUF
de l'Académie française

LE NAUFRAGE
DES CIVILISATIONS

BERNARD GRASSET
PARIS

Jaquette : Victor Hugo, *Naufrage*
© Bibliothèque nationale de France

ISBN 978-2-246-85217-9

À ma mère, à mon père,
et aux rêves fragiles
qu'ils m'ont transmis

Prologue

Ce que réserve l'avenir, seuls les dieux le connaissent,
eux seuls sont possesseurs de toutes les lumières.
Les hommes sages ne perçoivent de l'avenir que
ce qui est imminent. Parfois, alors qu'ils sont
complètement plongés dans leurs études,
leurs sens se mettent en éveil. Vers eux vient de monter
l'appel secret des événements qui vont se produire,
et ils l'écoutent avec recueillement...

Constantin CAVAFY (1863-1933),
Poèmes

Je suis né en bonne santé dans les bras d'une civilisation mourante, et tout au long de mon existence, j'ai eu le sentiment de survivre, sans mérite ni culpabilité, quand tant de choses, autour de moi, tombaient en ruine ; comme ces personnages de film qui traversent des rues où tous les murs s'écroulent, et qui sortent pourtant indemnes, en secouant la poussière de leurs habits, tandis que derrière eux la ville entière n'est plus qu'un amoncèlement de gravats.

Tel a été mon triste privilège, dès le premier souffle. Mais c'est aussi, sans doute, une caractéristique de notre époque si on la compare à celles qui l'ont précédée. Autrefois, les hommes avaient le sentiment d'être éphémères dans un monde immuable ; on vivait sur les terres où avaient vécu ses parents, on travaillait comme ils avaient travaillé, on se soignait comme ils s'étaient soignés, on s'instruisait comme ils s'étaient instruits, on priait de la même manière, on se déplaçait par les mêmes moyens. Mes quatre grands-parents et tous leurs ancêtres depuis douze générations sont nés sous la même dynastie ottomane, comment auraient-ils pu ne pas la croire éternelle ?

« De mémoire de rose, on n'a jamais vu mourir un jardinier », soupiraient les philosophes français des Lumières en songeant à l'ordre social et à la monarchie de leur propre pays. Aujourd'hui, les roses pensantes que nous sommes vivent de plus en plus longtemps, et les jardiniers meurent. En l'espace d'une vie, on a le temps de voir disparaître des pays, des empires, des peuples, des langues, des civilisations.

L'humanité se métamorphose sous nos yeux. Jamais son aventure n'a été aussi prometteuse, ni aussi hasardeuse. Pour l'historien, le spectacle du monde est fascinant. Encore faut-il pouvoir s'accommoder de la détresse des siens et de ses propres inquiétudes.

C'est dans l'univers levantin que je suis né. Mais il est tellement oublié de nos jours que la plupart de mes contemporains ne doivent plus savoir à quoi je fais allusion.

Il est vrai qu'il n'y a jamais eu de nation portant ce nom. Lorsque certains livres parlent du Levant, son histoire reste imprécise, et sa géographie, mouvante – tout juste un archipel de cités marchandes, souvent côtières mais pas toujours, allant d'Alexandrie à Beyrouth, Tripoli, Alep ou Smyrne, et de Bagdad à Mossoul, Constantinople, Salonique, jusqu'à Odessa ou Sarajevo.

Tel que je l'emploie, ce vocable suranné désigne l'ensemble des lieux où les vieilles cultures de l'Orient méditerranéen ont fréquenté celles, plus jeunes, de l'Occident. De leur intimité a failli naître, pour tous les hommes, un avenir différent.

Je reviendrai plus longuement sur ce rendez-vous manqué, mais je dois en dire un mot dès à présent afin de préciser ma pensée : si les ressortissants des diverses nations et les adeptes des religions monothéistes avaient continué à vivre ensemble dans cette région du monde et réussi à accorder leurs destins, l'humanité entière aurait eu devant elle, pour l'inspirer et éclairer sa route, un modèle éloquent de coexistence harmonieuse et de prospérité. C'est malheureusement l'inverse qui s'est produit, c'est la détestation qui a prévalu, c'est l'incapacité de vivre ensemble qui est devenue la règle.

Les lumières du Levant se sont éteintes. Puis les ténèbres se sont propagées à travers la planète. Et, de mon point de vue, ce n'est pas simplement une coïncidence.

L'idéal levantin, tel que les miens l'ont vécu, et tel que j'ai toujours voulu le vivre, exige de chacun qu'il assume l'ensemble de ses appartenances, et un peu aussi celles des autres. Comme tout idéal, on y aspire sans jamais l'atteindre complètement, mais l'aspiration elle-même est salutaire, elle indique la voie à suivre, la voie de la raison, la voie de l'avenir. J'irai même jusqu'à dire que c'est cette aspiration qui marque, pour une société humaine, le passage de la barbarie à la civilisation.

Tout au long de mon enfance, j'ai observé la joie et la fierté de mes parents lorsqu'ils mentionnaient des amis proches appartenant à d'autres religions, ou à d'autres pays. C'était juste une intonation dans leur voix, à peine perceptible. Mais un message se transmettait. Un mode d'emploi, dirais-je aujourd'hui.

En ce temps-là, la chose me semblait ordinaire, je n'y pensais guère, j'étais persuadé que cela se passait ainsi sous tous les cieux. C'est bien plus tard que j'ai compris à quel point cette proximité entre les diverses communautés qui régnait dans l'univers de mon enfance était rare. Et combien elle était fragile. Très tôt dans ma vie j'allais la voir se ternir, se dégrader, puis s'évanouir, ne laissant derrière elle que des nostalgies et des ombres.

Ai-je eu raison de dire que les ténèbres se sont répandues sur le monde quand les lumières du Levant se sont éteintes ? N'est-il pas incongru de parler de ténèbres alors que nous connaissons, mes contemporains et moi, l'avancée technologique la plus spectaculaire de tous les temps ; alors que nous avons au bout des doigts, comme jamais auparavant, tout le savoir des hommes ; alors que nos semblables vivent de plus en plus longtemps, et en meilleure santé que par le passé ; alors que tant de pays de l'ancien « tiers-monde », à commencer par la Chine et l'Inde, sortent enfin du sous-développement ?

Mais c'est là, justement, le désolant paradoxe de ce siècle : pour la première fois dans l'Histoire, nous avons les moyens de débarrasser l'espèce humaine de tous les fléaux qui l'assaillent, pour la conduire sereinement vers une ère de liberté, de progrès sans tache, de solidarité planétaire et d'opulence partagée ; et nous voilà pourtant lancés, à toute allure, sur la voie opposée.

*

Je ne suis pas de ceux qui aiment à croire que « c'était mieux avant ». Les découvertes scientifiques me fascinent, la libération des esprits et des corps m'enchante, et je considère comme un privilège de vivre à une époque aussi inventive et aussi débridée que la nôtre. Cependant j'observe, depuis quelques années, des dérives de plus en plus inquiétantes qui menacent d'anéantir tout ce que notre espèce a bâti jusqu'ici, tout ce dont nous sommes légitimement fiers, tout ce que nous avons coutume d'appeler « civilisation ».

Comment en sommes-nous arrivés là ? C'est la question que je me pose chaque fois que je me trouve confronté aux sinistres convulsions de ce siècle. Qu'est-ce qui est allé de travers ? Quels sont les tournants qu'il n'aurait pas fallu prendre ? Aurait-on pu les éviter ? Et aujourd'hui, est-il encore possible de redresser la barre ?

Si j'ai recours à un vocabulaire maritime, c'est parce que l'image qui m'obsède, depuis quelques années, est celle d'un naufrage – un paquebot moderne, scintillant, sûr de lui et réputé insubmersible comme le *Titanic*, portant une foule de passagers de tous les pays et de toutes les classes, et qui avance en fanfare vers sa perte.

Ai-je besoin d'ajouter que ce n'est pas en simple spectateur que j'observe sa trajectoire ? Je suis à bord, avec tous mes contemporains. Avec ceux que j'aime le plus, et ceux que j'aime moins. Avec tout ce que j'ai bâti, ou crois avoir bâti. Sans doute m'efforcerai-je, tout au long de ce livre, de garder le ton le plus posé possible. Mais c'est avec frayeur que je vois approcher les montagnes de glace qui se profilent devant nous. Et c'est avec ferveur que je prie le Ciel, à ma manière, pour que nous réussissions à les éviter.

Le naufrage n'est, bien entendu, qu'une métaphore. Forcément subjective, forcément approximative. On pourrait trouver bien d'autres images capables de décrire les soubresauts de ce siècle. Mais c'est celle-là qui me hante. Pas un jour ne passe, ces derniers temps, sans qu'elle ne me vienne à l'esprit.

Souvent, trop souvent hélas, c'est ma région natale qui m'y fait songer. Tous ces lieux dont j'aime à prononcer les noms antiques – l'Assyrie, Ninive, Babylone, la Mésopotamie, Émèse, Palmyre, la Tripolitaine, la Cyrénaïque, ou le royaume de Saba, jadis appelé « l'Arabie heureuse »… Leurs populations, héritières des plus anciennes civilisations, s'enfuient sur des radeaux comme après un naufrage, justement.

Quelquefois, c'est le réchauffement climatique qui est en cause. Les gigantesques glaciers qui ne cessent de fondre ; l'océan Arctique qui, pendant les mois d'été, redevient navigable, pour la première fois depuis des millénaires ; les énormes blocs qui se détachent de l'Antarctique ; les nations insulaires du Pacifique qui s'inquiètent de se retrouver bientôt submergées… Vont-elles réellement connaître, dans les décennies à venir, des naufrages apocalyptiques ?

D'autres fois, l'image est moins concrète, moins poignante humainement, plus symbolique. Ainsi, lorsqu'on contemple Washington, capitale de la première puissance mondiale, celle qui est censée donner l'exemple d'une démocratie adulte et exercer sur le reste de la planète une autorité quasiment paternelle, n'est-ce pas à un naufrage que l'on songe ? Aucune embarcation de fortune ne flotte

16

sur le Potomac ; mais, en un sens, c'est la cabine de pilotage du paquebot des hommes qui est inondée, et c'est l'humanité entière qui se retrouve naufragée.

D'autres fois encore, c'est de l'Europe qu'il s'agit. Son rêve d'union est, à mes yeux, l'un des plus prometteurs de notre temps. Qu'en est-il advenu ? Comment a-t-on pu le laisser abîmer de la sorte ? Quand la Grande-Bretagne a décidé de quitter l'Union, les responsables du continent se sont dépêchés de minimiser l'événement, et de promettre des initiatives audacieuses entre les membres restants pour relancer le projet. J'espère de tout cœur qu'ils y parviendront. En attendant, je ne puis m'empêcher de murmurer à nouveau : « Quel naufrage ! »

Longue est la liste de tout ce qui, hier encore, parvenait à faire rêver les hommes, à élever leur esprit, à mobiliser leur énergie, et qui a perdu aujourd'hui son attrait. Cette « démonétisation » des idéaux, qui ne cesse de s'étendre, et qui affecte tous les systèmes, toutes les doctrines, il ne me semble pas abusif de l'assimiler à un naufrage moral généralisé. Tandis que l'utopie communiste sombre dans les abysses, le triomphe du capitalisme s'accompagne d'un déchaînement obscène des inégalités. Ce qui a peut-être, économiquement, sa raison d'être ; mais sur le plan humain, sur le plan éthique, et sans doute aussi sur le plan politique, c'est indéniablement un naufrage.

Ces quelques exemples sont-ils parlants ? Pas suffisamment, à mon sens. Ils expliquent sans doute le titre que j'ai choisi, mais ils ne permettent pas encore de saisir l'essentiel. À savoir qu'un engrenage est à l'œuvre, que personne n'a volontairement enclenché, mais vers lequel nous sommes tous entraînés de force, et qui menace d'anéantir nos civilisations.

En évoquant les turbulences qui ont conduit le monde au seuil de ce désastre, je serai souvent amené à dire « je », « moi », et « nous ». J'aurais préféré ne pas avoir à parler à la première personne, surtout dans les pages d'un livre qui se préoccupe de l'aventure humaine. Mais comment aurais-je pu faire autrement quand j'ai été, dès le commencement de ma vie, un témoin proche des bouleversements dont je m'apprête à parler ; quand « mon » univers levantin a été le premier à sombrer ; quand « ma » nation arabe a été celle dont la détresse suicidaire a entraîné la planète entière dans l'engrenage destructeur ?

I

Un paradis en flammes

After the torchlight red on sweaty faces
After the frosty silence in the gardens
After the agony in stony places...
He who was living is now dead
We who were living are now dying
With a little patience

Après le rougeoiement des torches sur les visages en sueur
Après le froid silence dans les jardins
Et l'agonie sur les terres pierreuses...
Celui qui vivait est maintenant mort
Nous qui étions en vie sommes en train de mourir
Avec un peu de patience

T. S. ELIOT (1888-1965),
The Waste Land

1

Je n'ai pas connu le Levant de la grande époque, je suis venu trop tard, il ne restait plus du théâtre qu'un décor en lambeaux, il ne restait plus du festin que des miettes. Mais j'ai constamment espéré que la fête pourrait recommencer un jour, je ne voulais pas croire que le destin m'avait fait naître dans une maison déjà promise à la démolition.

Des maisons, les miens en avaient bâti quelques-unes, entre l'Anatolie, le Mont-Liban, les cités côtières et la vallée du Nil, qu'ils allaient toutes abandonner, l'une après l'autre. J'en ai gardé de la nostalgie, forcément, et aussi un brin de résignation stoïque face à la vanité des choses. Ne s'attacher à rien qu'on puisse regretter le jour où il faudra partir !

Peine perdue. On s'attache, inévitablement. Puis, iné-vitablement, on s'en va. Sans même refermer la porte derrière soi, puisqu'il n'y a plus ni portes ni murs.

C'est à Beyrouth que je suis né, le 25 février 1949. La nouvelle fut annoncée le lendemain, comme cela se faisait quelquefois, par un entrefilet dans le journal où travaillait mon père. « L'enfant et sa mère se portent bien. »

Le pays et sa région se portaient, eux, très mal. Peu de gens s'en rendaient compte alors, mais la descente aux enfers avait déjà commencé. Elle ne devait plus s'arrêter.

L'Égypte, patrie adoptive de ma famille maternelle, était en ébullition. Le 12 février, deux semaines avant ma naissance, Hassan El-Banna, fondateur des Frères musulmans, avait été assassiné. Il s'était rendu ce jour-là chez l'un de ses alliés politiques ; au moment où il sortait de l'immeuble, une voiture s'était approchée, un tireur l'avait visé. Bien qu'atteint sous l'aisselle par une balle, il n'était pas tombé à terre, et sa blessure ne semblait pas trop grave. Il avait même pu courir derrière le véhicule et noter lui-même le numéro de la plaque. C'est ainsi qu'on apprit que la voiture des tueurs appartenait à un général de la police.

El-Banna s'était ensuite rendu à l'hôpital pour s'y faire soigner. Ses partisans pensaient le voir sortir dans la journée, avec un simple bandage. Ils s'apprêtaient à le porter **en** triomphe. Mais une hémorragie interne allait le vider de son sang. Quelques heures plus tard, il était mort. Il n'avait que quarante-deux ans.

Son assassinat venait en réponse à celui du Premier ministre égyptien, Nokrachi Pacha, abattu par un Frère musulman un mois et demi plus tôt, le 28 décembre. Le tueur, un étudiant en médecine, s'était déguisé en officier de police pour pouvoir s'introduire dans un bâtiment officiel, s'approcher de l'homme d'État et lui tirer dessus à bout portant au moment où il allait prendre l'ascenseur. Un meurtre qui avait été lui-même perpétré en réaction à la décision prise par le gouvernement, le 8 décembre, de dissoudre la Confrérie.

Le bras de fer entre l'organisation islamiste et les autorités du Caire se poursuivait depuis vingt ans déjà. À la veille de ma naissance, il s'était singulièrement envenimé. Il devait connaître, au cours des décennies, de nombreux épisodes sanglants, ainsi que de longues trêves, toujours suivies de rechutes. À l'instant où j'écris ces lignes, il se poursuit encore.

Cet affrontement, commencé en Égypte dans les années vingt, finira par avoir des retombées dans le monde entier, du Sahara au Caucase, et des montagnes d'Afghanistan jusqu'aux tours jumelles new-yorkaises, attaquées et détruites, le 11 septembre 2001, par un commando suicide ayant à sa tête un militant islamiste égyptien.

Mais en 1949, les échanges de coups entre les autorités et les Frères, aussi violents fussent-ils, n'affectaient pas encore la vie quotidienne. De ce fait, ma mère n'hésita pas à nous emmener au Caire, ma sœur aînée et moi, quatre semaines après ma naissance. C'était bien plus commode pour elle de s'occuper de nous avec l'aide de ses parents et du personnel qu'ils avaient à leur service. Au Liban, mon père, qui vivait de son salaire de rédacteur, ne pouvait lui assurer des facilités comparables. Quand il en avait le temps, c'est lui qui l'accompagnait chez les siens. Ce qu'il faisait sans déplaisir. Il vénérait le passé de l'Égypte, et éprouvait de l'admiration pour son bouillonnement culturel – ses poètes, ses peintres, ses musiciens, son théâtre, son cinéma, ses journaux, ses maisons d'édition... C'est d'ailleurs au Caire qu'il avait publié, en 1940, son tout premier livre, une anthologie des auteurs levantins en langue anglaise. Et c'est également au Caire, à l'église grecque-catholique, que mes parents s'étaient mariés en décembre 1945.

En ce temps-là, le pays du Nil était véritablement pour les miens une seconde patrie, et ma mère m'y emmena trois années de suite pour de longs séjours – à ma naissance, donc, puis l'année suivante et celle d'après. À la saison fraîche, bien entendu, car en été, l'air y était réputé « irrespirable ».

Puis, brusquement, ce rituel fut interrompu. Dans les derniers jours de 1951, mon grand-père, qui se prénommait Amin, mourut subitement d'une crise cardiaque. Et ce fut sans doute pour lui une bénédiction que de quitter le monde avant d'avoir vu se défaire l'œuvre de sa vie. Car moins d'un mois plus tard, *son* Égypte, qu'il chérissait tant, était déjà la proie des flammes.

*

Il y était venu à seize ans, dans le sillage de l'aîné de ses frères, et s'y était rapidement fait une place grâce à un talent singulier : le domptage des chevaux. Quand une bête se montrait récalcitrante, l'adolescent lui sautait sur le dos, s'agrippait à elle de ses bras et de ses jambes arquées, pour ne plus la lâcher. Elle avait beau courir, se cabrer, s'ébrouer, son cavalier restait accroché. Et c'était toujours la monture qui se fatiguait avant lui. Elle se calmait, baissait la tête, puis s'avançait vers le point d'eau pour étancher sa soif. Mon futur grand-père lui tapotait le flanc, lui caressait le cou, passait ses doigts dans sa crinière. Il l'avait apprivoisée.

Il n'exerça pas longtemps ce métier de jeune homme. Dès qu'il eut pris de l'âge et de l'embonpoint, il se lança dans une tout autre carrière, pour laquelle il n'avait aucun diplôme ni aucune formation particulière, mais dont l'Égypte, en plein essor, avait grandement besoin : la construction de routes, de canaux et de ponts. Il fonda avec ses frères une entreprise de travaux publics dans une ville du delta du Nil, appelée Tanta. C'est là qu'il allait rencontrer sa femme, Virginie, maronite comme lui, mais qui était née à Adana, en Asie mineure ; sa famille avait émigré en Égypte pour fuir les émeutes sanglantes de 1909, qui avaient pris pour premières cibles les Arméniens, avant de s'étendre aux autres communautés chrétiennes.

Mes futurs grands-parents se marièrent à Tanta au sortir de la Première Guerre mondiale. Ils eurent sept enfants. D'abord un fils, qui mourut très jeune ; puis, en 1921, une fille, ma mère. Ils la prénommèrent Odette. Mon père l'a toujours appelée Aude.

Lorsque l'affaire familiale se mit à prospérer, mon aïeul partit s'installer à Héliopolis, la ville neuve fondée au voisinage du Caire à l'initiative d'un industriel belge, le baron Empain. Au même moment, il se faisait construire, dans un village de la montagne libanaise, pour y passer les mois d'été, une maison en pierre blanche – solide, élégante, bien située, confortable, sans être pour autant luxueuse.

Parmi ceux qui étaient partis travailler en Égypte en

même temps que lui, certains vivaient à présent dans de véritables palais ; ils possédaient des banques, des usines, des champs cotonniers, des compagnies internationales, et s'étaient même fait décerner des titres de noblesse – pacha, comte ou prince. Ce n'était pas le cas de mon grand-père. Il gagnait bien sa vie, mais il n'avait pas amassé une immense fortune. Même au village, qui comptait tout juste une vingtaine de maisons, la sienne n'était pas la plus somptueuse. Son acharnement au travail lui avait permis de prospérer et de s'élever au-dessus de sa condition d'origine, sans pour autant le placer en haut de l'échelle sociale. À vrai dire, son parcours ressemblait à celui d'un bon nombre de ses compatriotes qui, entre le dernier tiers du XIXe siècle et le milieu du XXe, avaient choisi de s'établir dans la vallée du Nil plutôt que d'émigrer vers des terres plus lointaines.

Étant né à la fin de cette période, je l'ai d'abord connue par ce qu'en disaient mes parents et leur entourage. Plus tard, j'ai fait quelques lectures – des récits, des études chiffrées, et aussi des romans à la gloire d'Alexandrie ou d'Héliopolis. Et je suis aujourd'hui persuadé que les miens avaient eu, en leur temps, d'excellentes raisons de choisir l'Égypte. Elle présentait pour l'émigré industrieux des avantages qui n'ont jamais été égalés depuis.

Il est vrai que des pays tels que les États-Unis, le Brésil, le Mexique, Cuba ou l'Australie offraient des opportunités virtuellement sans limites ; mais il fallait franchir les océans, et se couper définitivement des terres natales ; alors que mon grand-père pouvait, à la fin d'une année de labeur, revenir à son village pour s'y faire materner, et pour s'y ressourcer.

Plus tard, beaucoup plus tard, il allait y avoir un flux d'émigration vers les pays du pétrole, qui étaient proches, géographiquement, où l'on pouvait gagner correctement sa vie, et même, pour les plus futés, faire rapidement fortune. Mais rien de plus. On travaillait dur, on rêvait en silence, on s'enivrait en cachette, puis on se défoulait dans la consommation à outrance. Alors que, dans la vallée du Nil, il y avait d'autres nourritures. En musique, en littérature, comme en bien d'autres arts, on assistait à un véritable foisonnement, auquel les immigrés de toutes origines et de toutes confessions se sentaient invités à prendre part au même titre que la population locale.

Les compositeurs, les chanteurs, les acteurs, les romanciers et les poètes d'Égypte allaient devenir pour longtemps les vedettes de tout le monde arabe, et au-delà. Tandis que la diva Oum Kalthoum chantait les *Robaïyat* de Khayyâm, et que l'inoubliable Asmahane, immigrée syrienne, célébrait *Les douces nuits de Vienne*, Leila Mourad, née Assouline, héritière d'une longue tradition de musiciens juifs, faisait vibrer les salles avec sa chanson culte qui disait : *Mon cœur est mon seul guide*.

Ce mouvement allait même rayonner, à partir du Levant et de la langue arabe, vers d'autres univers culturels. Il est significatif, par exemple, que *My Way*, chanson emblématique de Frank Sinatra, ait été écrite initialement pour Claude François, un Français d'Égypte, avant d'être adaptée en anglais par Paul Anka, un Américain d'origine syro-libanaise. D'ailleurs, en France même, le music-hall

27

a longtemps été investi par des vedettes nées en Égypte, comme Dalida, Georges Moustaki, Guy Béart ou, justement, Claude François.

Et ce n'est là qu'un domaine parmi tant d'autres. Quand mon grand-père se rendait au ministère égyptien des Travaux publics pour y obtenir des adjudications, il y avait dans cette même administration, à l'un des étages, derrière son bureau, un fonctionnaire nommé Constantin Cavafy, dont personne ne savait, en ce temps-là, qu'il allait être considéré un jour comme le plus grand poète grec des temps modernes – né à Alexandrie le 29 avril 1863, mort à Alexandrie le 29 avril 1933, disent ses biographes. Rien ne permet de supposer que les deux hommes se soient connus, mais j'aime à imaginer qu'ils ont pu se pencher ensemble sur quelque projet d'irrigation.

C'est également à Alexandrie qu'était né, en 1888, le grand poète italien Giuseppe Ungaretti, qui y avait vécu ses premières années. Sa mère y tenait une boulangerie…

*

Mon père qui, contrairement à beaucoup de ses compatriotes, n'était pas un homme d'argent, connaissait surtout l'Égypte par ses poètes. Souvent il me récitait leurs vers, et à force de les entendre, j'en ai retenu moi-même quelques-uns. Son modèle était Ahmed Chawki, qu'on appelait « le Prince des poètes », et qui apparaissait comme la figure tutélaire d'une renaissance culturelle arabe dont on pensait, en ce temps-là, qu'elle était inéluctable, qu'elle était imminente, et qu'elle allait for-cément éclore à partir de la vallée du Nil.

Quand Chawki visitait le Liban, c'était un événement considérable, dont les quotidiens rendaient compte en première page. Il était partout suivi par une nuée de jeunes écrivains. Mon père a été fier, toute sa vie, d'avoir pu le rencontrer un jour ; c'était dans un restaurant en plein air, et le poète avait versé de la bière dans un verre, en l'approchant de son oreille, en penchant la tête légèrement vers l'arrière, et en expliquant à ceux qui l'entouraient que ce bruit caractéristique était appelé, par les auteurs arabes d'autrefois, *jarsh*. Un détail sans grande importance, mais mon père en parlait avec émo-tion parce qu'il ramenait à sa mémoire la voix et le geste de Chawki.

Quand je me trouve à Rome, je me rends parfois dans le parc de la Villa Borghèse, où s'élève une statue du poète égyptien, en nœud papillon, une rose entre les doigts, et la tête penchée légèrement vers l'arrière comme dans les souvenirs de mon père.

Tout aussi important que le « Prince » Chawki, et tout aussi représentatif de cette époque prometteuse, était Taha Hussein, qu'on surnommait « le Doyen des lettres arabes ».

Né dans une famille de villageois pauvres, devenu aveugle à trois ans en raison d'une maladie mal soignée, il sut s'élever au-dessus de son handicap pour devenir l'intellectuel égyptien le plus respecté de son temps. Homme des Lumières, résolument moderniste, il invitait les chercheurs arabes à réétudier l'Histoire avec les outils scientifiques modernes, au lieu de répéter indéfiniment les idées reçues des anciens.

Une vive polémique éclata en 1926 lorsqu'il publia un ouvrage où il affirmait que la poésie arabe considérée comme préislamique avait été entièrement réécrite à une époque ultérieure, dans un contexte de rivalité entre les différentes tribus. Ce qui parut choquant, et lui valut d'être traité de mécréant, ce n'était pas seulement sa remise en cause de la vision que l'on avait de l'histoire littéraire arabe et de la manière dont les œuvres avaient été composées. On voulait surtout l'empêcher d'appliquer sa méthode iconoclaste aux textes religieux.

Cette polémique n'était pas sans rappeler celle qu'avait suscitée Ernest Renan, soixante-quatre ans plus tôt, lorsqu'il avait osé, dans son cours inaugural au Collège de France, appeler Jésus « un homme exceptionnel » sans le considérer comme un dieu. Professeur à l'université du Caire, Taha Hussein fut aussitôt suspendu, comme l'avait été Renan. Mais lorsque le cheikh d'al-Azhar, la plus haute autorité religieuse du pays, demanda qu'il fût jugé, le gouvernement égyptien refusa d'aller aussi loin, estimant que l'on était dans le cadre d'un débat académique normal, dont la justice ne devait pas se mêler.

En dépit des attaques dont il faisait l'objet de la part des milieux traditionalistes, le Doyen des lettres arabes demeura, jusqu'à son dernier jour, un intellectuel éminemment respecté par ses contemporains. Mieux encore, il fut nommé aux plus hautes fonctions : doyen de la faculté des Lettres, puis recteur de l'université d'Alexandrie, et même, de 1950 à 1952, ministre de l'Éducation nationale – ou, pour reprendre la si belle appellation qu'il y avait en Égypte de ce temps-là, « ministre des Savoirs ». L'une de ses premières décisions fut d'instaurer la gratuité de l'enseignement.

Qu'un homme aveugle, et perçu par certaines autorités religieuses comme un mécréant, ait pu connaître une telle ascension en dit long sur Taha Hussein, bien sûr, mais aussi et avant tout sur l'Égypte de son époque.

On pourrait multiplier les exemples. Rappeler que c'est à l'Opéra du Caire que l'on créa, en 1871, *Aïda*, de Verdi, une commande du khédive d'Égypte ; évoquer les noms de Youssef Chahine ou Omar Sharif, deux Libanais d'Égypte que le cinéma égyptien allait propulser sur la scène mondiale ; citer les nombreux spécialistes qui certifient que l'école de médecine du Caire fut, pour un temps, l'une des meilleures au monde… Mais je ne cherche pas à démontrer, je voudrais seulement transmettre le sentiment que les miens m'ont communiqué : celui d'un pays exceptionnel, qui vivait un moment privilégié de son histoire.

J'ai évoqué quelques souvenirs de mon père, mais c'est surtout ma mère qui, chaque jour de sa vie, m'a parlé et reparlé de l'Égypte. De ses mangues et de ses goyaves « dont on ne retrouve le parfum nulle part ailleurs » ; des grands magasins Cicurel, du Caire, « qui valaient largement Harrods, de Londres, et les Galeries Lafayette à Paris » ; de la pâtisserie Groppi, « qui n'avait rien à envier à celles de Milan ou de Vienne » ; sans oublier les longues et langoureuses plages d'Alexandrie…

Il y avait là, bien sûr, la nostalgie ordinaire que toute personne éprouve au soir de sa vie en songeant au temps béni de sa jeunesse. Mais il n'y avait pas que cela, il n'y avait pas seulement la parole de ma mère. J'ai écouté tant d'autres personnes, j'ai lu tant de témoignages, et il ne fait pas de doute à mes yeux qu'il y a bien eu, pendant un certain temps, et pour une certaine population, un paradis nommé l'Égypte. Où je me suis rendu quand je ne pouvais encore rien voir, rien comprendre, rien retenir. Et qui, un jour, a cessé d'être ce qu'il avait été, et cessé de promettre ce qu'il semblait avoir promis.

2

Quand mon grand-père fut inhumé, dans les premiers jours de janvier 1952, au cimetière maronite du Caire, les rues étaient aussi paisibles que d'habitude, même si la tension était perceptible pour ceux qui savaient la sentir.

Une crise couvait, depuis trois mois, entre le gouvernement national et les autorités britanniques, qui avaient accordé au pays l'indépendance trente ans plus tôt, mais qui l'avaient contraint ensuite à signer, en 1936, un traité leur permettant de maintenir des troupes dans la zone du canal de Suez. En ce temps-là, l'ascension d'Hitler et la conquête de l'Éthiopie par Mussolini justifiaient un tel arrangement. Mais, dès la fin de la Seconde Guerre mondiale, les dirigeants égyptiens avaient demandé à Londres de mettre fin à une présence militaire qui n'avait plus sa raison d'être, qui ne cadrait pas avec la souveraineté du pays, et que la population locale acceptait mal.

On entama des pourparlers, on échangea des propositions et des contre-propositions, on négocia interminablement, sans parvenir au moindre résultat. Excédé, le gouvernement du Caire fit voter par le Parlement, en octobre 1951, l'abrogation unilatérale du traité, et exigea des Britanniques qu'ils retirent leurs troupes dans les plus brefs délais. Cette prise de position suscita l'enthousiasme des Égyptiens, qui descendirent spontanément dans les rues pour fêter la « libération » du territoire comme si c'était chose faite.

Mais Londres n'avait pas l'intention d'obtempérer. Un nouveau Premier ministre était en place, qui n'était autre que Winston Churchill. À soixante-dix-sept ans, il venait de remporter les élections générales et de reprendre les rênes du gouvernement après avoir été battu en 1945, au lendemain d'une victoire dont il avait pourtant été le principal artisan. L'homme n'avait rien perdu de son obstination. Il en voulait aux travaillistes d'avoir perdu les Indes, et il était déterminé à ne plus céder un pouce du territoire de l'Empire, ni une once de son prestige. Plutôt que de retirer ses troupes de la zone du Canal, il ordonna de les renforcer.

Son homologue égyptien, Nahhas Pacha, était lui aussi un vétéran de la politique. À soixante-douze ans, il diri-geait le cinquième gouvernement de sa longue carrière. Riche propriétaire, modéré dans son patriotisme et par-tisan d'une démocratie parlementaire à l'occidentale, il n'avait pas particulièrement envie de croiser le fer avec la Grande-Bretagne. Mais il ne pouvait reculer sans perdre la face, ni se laisser déborder par des nationalistes plus militants.

Alors il eut recours à diverses ripostes qui visaient à lasser les Anglais, afin qu'ils se résignent à s'en aller d'eux-mêmes. C'était risqué, très risqué même, comme la suite le montrera, mais il lui semblait plus risqué encore d'apparaître comme complice et collaborateur des forces d'occupation.

Les mesures prises par les autorités égyptiennes furent, pour certaines, purement symboliques. À Alexandrie, on débaptisa certaines avenues qui portaient le nom de personnalités britanniques, comme lord Kitchener ou le général Allenby. Au Caire, on décida de transformer le prestigieux club privé Gezira Sporting, fréquenté par beaucoup de ressortissants anglais, en un jardin public ouvert à tous. On recommanda aux commerçants de ne plus importer de marchandises anglaises. On incita les Égyptiens qui travaillaient pour les troupes britanniques dans la zone du canal de Suez, et qui se comptaient par dizaines de milliers, à quitter leur emploi, en leur promettant de les compenser, et en les menaçant parfois de représailles s'ils s'obstinaient à rester au service de l'occupant.

Plus grave, des opérations de commando furent lancées contre des installations britanniques. Elles étaient menées par des jeunes gens armés qui appartenaient à divers mouvements politiques, allant des communistes et des nationalistes aux Frères musulmans. Certains de ces activistes appartenaient aussi aux forces de l'ordre ; et le gouvernement, pour éviter que les choses ne lui échappent complètement, permit aux auxiliaires de la police de s'associer à ces attaques.

Les Anglais décidèrent alors de frapper un grand coup, pour l'exemple. Le vendredi 25 janvier 1952, ils lancèrent un assaut contre des bâtiments de la police à Ismaïlia, sur la rive occidentale du Canal. Ce fut une bataille en règle, qui dura plusieurs heures, et qui se solda par plus de quarante morts égyptiens et une centaine de blessés. Quand la nouvelle se répandit à travers le pays, la population entière fut saisie de rage.

Le lendemain, samedi, des manifestants commencèrent à se rassembler dès l'aube dans les rues du Caire. Leur nombre augmentait au fil des heures, et ils se mirent à saccager et à incendier les entreprises britanniques les plus visibles, comme la banque Barclays, l'agence de voyages Thomas Cook, la librairie W.H. Smith, le Turf Club ou l'hôtel Shepheard, établissement fondé plus de cent ans auparavant, qui avait servi jadis de quartier général à l'armée anglaise, et qui demeurait l'un des plus luxueux du pays.

Puis les émeutiers s'en prirent à tous les lieux fréquentés par les Occidentaux ou par la classe dirigeante égyptienne : les bars, les clubs privés, les salles de cinéma, ainsi que les grands magasins à l'européenne – dont l'inoubliable Cicurel qui faisait le bonheur de ma mère. Partout, on saccageait, on pillait, on mettait le feu, et il y eut même un certain nombre de lynchages. On dénombra, en fin de journée, une trentaine de morts, plus de cinq cents blessés et près d'un millier d'immeubles brûlés. Tout le centre moderne de la capitale avait été dévasté.

On n'a jamais su avec certitude qui étaient les responsables du grand incendie du Caire. Aujourd'hui encore, certains historiens pensent qu'il s'agissait d'un mouvement spontané qui avait peu à peu dérapé, nourri par sa propre rage destructrice ; quand d'autres sont persuadés qu'il y avait un « chef d'orchestre », avec des objectifs politiques précis. Toujours est-il que les mots d'ordre se sont amplifiés au fil des heures. Alors que la foule ne protestait, au début, que contre les agissements des soldats anglais, elle se mit progressivement à hurler des slogans hostiles au gouvernement égyptien, accusé de complicité, et s'en prit également au jeune roi Farouk, que l'on disait corrompu, insensible aux souffrances de ses sujets et entièrement sous l'influence de ses compagnons de débauche.

Débordées, impuissantes, les autorités n'avaient pas bougé de la journée, laissant le champ libre aux émeutiers et se contentant de protéger les quartiers où résidaient les dignitaires du régime. Dès le lendemain, Nahhas Pacha, complètement discrédité, dut présenter sa démission. Il avait lamentablement perdu son pari, et il n'allait plus jouer aucun rôle significatif dans la vie du pays. Pas seulement lui, d'ailleurs. C'est l'ancienne classe dirigeante tout entière qui allait bientôt quitter la scène, sous les huées, et pour toujours.

*

Six mois après l'incendie du Caire, des « Officiers libres » s'emparaient du pouvoir, le monarque prenait le chemin de l'exil, une nouvelle ère commençait, caractérisée par une lutte acharnée entre deux entités politiques majeures, toutes deux farouchement nationalistes et résolument hostiles à la société cosmopolite d'avant : d'un côté, les Frères musulmans, qui bénéficiaient d'un vaste soutien populaire ; de l'autre, les forces armées, au sein desquelles un homme fort allait émerger, le colonel Gamal Abdel Nasser. Il allait devenir, pour une quinzaine d'années, le dirigeant le plus populaire du monde arabe, et l'une des personnalités les plus en vue sur la scène internationale.

Pour les miens, cependant, son ascension fulgurante ne présageait rien de bon. Le nouvel homme fort ne cessait d'affirmer que le peuple égyptien devait reprendre aux étrangers le contrôle de son territoire, de ses ressources, de son destin. Dans les années qui suivront la révolution de 1952, il y aura toute une panoplie de mesures – saisies, confiscations, séquestrations, expropriations, nationalisations, etc. – visant à dépouiller de leurs biens tous les possédants, avec une attention particulière, si j'ose dire, envers ceux qui avaient le malheur d'être « allogènes ».

Mon grand-père est mort avant l'incendie du Caire et la révolution, mais ses héritiers allaient bientôt devoir brader, à une fraction de leur valeur, les propriétés qu'il leur avait léguées. Avant de quitter leur Égypte natale, en ordre dispersé, les uns vers l'Amérique du Nord, les autres vers le Liban.

Pendant que les miens pleuraient leur paradis perdu, Nasser ne cessait de gagner en stature, et de renforcer son pouvoir. Par une série de manœuvres habiles, il put écarter tous ses rivaux potentiels parmi les militaires, puis sortir gagnant du bras de fer qui l'opposait aux Frères musulmans. Devenu président de la République et chef incontesté de la révolution, il estima que le moment était venu de donner aux Égyptiens leur revanche sur les Anglais. Le 26 juillet 1956, il annonça dans un discours à Alexandrie la nationalisation de la Compagnie universelle du canal maritime de Suez, dont il fit occuper les locaux le jour même. La Grande-Bretagne, la France et Israël ripostèrent, après quelques semaines, par une action militaire concertée. Mais celle-ci ne put se poursuivre. Désavoués par Washington et menacés de représailles par Moscou, les trois pays coalisés furent contraints de cesser leurs opérations et de retirer leurs troupes.

La crise de Suez se solda par une débâcle politique majeure pour les deux principales puissances coloniales européennes et par un triomphe pour Nasser. Il avait offert à son peuple une revanche éclatante ; il avait fait taire pour longtemps la surenchère des islamistes ; et il était apparu, sur la scène mondiale, comme le nouveau champion de la lutte pour le droit des peuples opprimés.

C'est en cet instant de gloire que le raïs prononça l'arrêt de mort de l'Égypte cosmopolite et libérale. Il prit une série de mesures visant à chasser du pays les Britanniques, les Français et les juifs. En apparence, c'était là une sanction « ciblée », dirigée contre ceux qui avaient mené « l'agression tripartite ». Dans la réalité, sa politique provoqua un exode massif de toutes les communautés dites « égyptianisées », dont certaines étaient établies depuis plusieurs générations, voire plusieurs siècles, sur les bords du Nil.

Ces mesures ne provoquèrent de l'émotion que chez ceux qui étaient directement visés. Aux yeux du reste du monde, elles apparaissaient, dans le contexte de l'époque, comme une suite normale de la crise de Suez et une conséquence prévisible de la récupération, par l'Égypte, d'une souveraineté trop longtemps bafouée.

Du jour au lendemain, Nasser devint l'idole des foules, dans son pays comme dans l'ensemble du Proche-Orient et au-delà. Depuis des siècles, aucun dirigeant arabe n'avait suscité d'aussi grandes espérances que ce bel officier trentenaire à la voix enivrante et aux discours prometteurs. Mais chez les miens, quand on parlait de lui, c'était rarement pour l'encenser, pour le bénir, ou pour lui souhaiter longue vie.

3

Ma famille maternelle a toujours eu le sentiment d'avoir été injustement chassée du paradis terrestre.

Chassée, elle l'avait été, ou tout au moins poussée, sans grand ménagement, vers la sortie… Quant à savoir si c'était *injuste*, la chose mérite réflexion. Mon sentiment à ce sujet s'est modifié plus d'une fois au fil des ans.

Dans mon enfance j'avais, sans surprise, les mêmes convictions que mes proches. J'écoutais les récits de ma mère sur ce que « nous » avions perdu à Héliopolis ou à Alexandrie, et j'en éprouvais de la tristesse. C'était un thème récurrent dans les réunions familiales. De temps à autre, on voyait arriver au Liban un oncle, une cousine ou un ami de la famille, qui avaient tenté de rester en Égypte un peu plus longtemps que les autres, avant de jeter l'éponge. Je me souviens encore de la formule qu'avait utilisée l'un de ces nouveaux « démigrants » pour décrire la vie sous le nouveau régime révolutionnaire, qui avait limité de manière drastique la liberté d'expression et d'association, ainsi que la libre entreprise : « À présent, tout ce qui n'est pas interdit est obligatoire ! » Je n'ai jamais oublié cette phrase, qui

m'apparaît comme une excellente définition de l'auto-
ritarisme.

Il y eut aussi des épisodes sordides. Comme lorsqu'un
sinistre personnage était venu voir ma mère et mes oncles
pour leur proposer de rapporter de leur maison d'Héliopolis les objets de valeur dont les autorités égyptiennes
prohibaient la sortie. Il avait, disait-il, des contacts très
sûrs à la douane. N'ayant pas trop le choix, on décida de
le croire. Mais de tout ce qu'on lui confia, on ne revit
rien, ou presque rien. Il s'était tout approprié, et avait
vraisemblablement tout vendu pour son propre compte.
Bien entendu, il n'était pas question de porter plainte…

Plus tard, lorsque j'ai commencé à suivre de près les
événements du monde, je me suis mis à voir les choses sous
un autre éclairage. L'heure était à la libération nationale,
au droit des peuples à disposer d'eux-mêmes, à la lutte
contre le colonialisme et l'impérialisme, contre le pillage du
tiers-monde, contre les bases étrangères. Si j'avais persisté
à ne voir dans le raïs égyptien que le fléau qu'il avait été
pour ma famille, j'aurais eu l'impression de placer nos
intérêts étroits au-dessus des principes universels.

Je me retrouvai donc à admirer notre « spoliateur »,
et à écouter ses discours avec une certaine empathie.
Il m'arrivait même de le défendre, de temps à autre,
quand je trouvais qu'on l'attaquait injustement. J'étais
encouragé dans cette attitude par un ami de la famille,
lui aussi Libanais d'Égypte, et qui venait souvent déjeu-
ner à notre table. Bien qu'il eût souffert, comme les
miens, des mesures prises par la révolution, il avait

pour Nasser une admiration sans bornes, et il ne se gênait pas pour le faire savoir en toutes circonstances. Ce qui provoquait de longues discussions animées, mais rarement des fâcheries durables. Les choses restaient civilisées et bon enfant. Mes parents taquinaient leur ami quand le raïs subissait un revers, et lui-même les narguait à son tour quand son héros obtenait un succès.

Mon jugement sur le grand homme était très mitigé. Et il le reste. Oui, même aujourd'hui, alors que tant d'années ont passé, j'hésite encore à son propos. Par certains côtés, Nasser a été le dernier géant du monde arabe, peut-être même sa dernière chance de se relever. Cependant, il s'est si lourdement trompé, et sur tant de questions essentielles, qu'il n'a laissé dans son sillage qu'amertume, remords et déception. Il a aboli le pluralisme pour instaurer un parti unique ; il a muselé la presse, qui avait été assez libre sous l'ancien régime ; il s'est appuyé sur les services secrets pour faire taire ses opposants ; sa gestion de l'économie égyptienne a été bureaucratique, inefficace et finalement ruineuse ; sa démagogie nationaliste l'a conduit vers le précipice, et tout le monde arabe avec lui...

On le voit, mes doutes sur son bilan sont substantiels, sans même que j'aie à introduire dans l'équation la variable « égoïste », à savoir qu'il a poussé ma famille maternelle hors de son paradis.

*

Je me dis parfois qu'il devrait y avoir, dans un musée dédié à l'histoire universelle, un espace appelé « le

Panthéon de Janus ». On y installerait, sous la tutelle emblématique de la divinité à deux visages, des personnalités de haute stature qui ont joué un rôle historique digne d'admiration, mais également, et parfois au même moment, un rôle détestable, voire destructeur. Deux des grands hommes que je viens d'évoquer dans ces pages méritent de figurer en bonne place dans ce Panthéon : Nasser et Churchill.

S'agissant du raïs, j'aurai l'occasion de citer, dans la suite de ce livre, quelques prises de position qui le rendent attachant, et qui font que sa disparition prématurée suscite chez moi, comme chez beaucoup d'Arabes, une certaine nostalgie, alors même qu'il fut indéniablement l'un des fossoyeurs du Levant que j'aimais. Sans trop m'attarder ici sur les raisons de cette ambivalence, je dirai que l'homme a grandi, comme tant d'autres de sa génération, dans le ressentiment envers la domination étrangère, et qu'il a mobilisé toute son énergie pour y mettre fin, sans se rendre compte qu'en la démolissant, il supprimait également un mode de vie qui s'était greffé sur elle, et qui aurait pu constituer, au prix de quelques ajustements, un facteur irremplaçable de progrès et de modernisation.

S'agissant de Churchill, je n'ai évidemment pas besoin de longues démonstrations pour dire à quel point son combat obstiné contre le nazisme a été salutaire. Sans son énergie, sa détermination, son habileté, l'Angleterre aurait peut-être renoncé à se battre, l'Amérique ne se serait pas engagée dans la guerre, et une longue nuit serait tombée sur le monde. Pour paraphraser l'une de ses propres formules, « jamais autant de personnes n'ont été aussi redevables »... à un seul homme.

Néanmoins, lorsqu'on se penche sur son action dans le monde arabo-musulman, on découvre un tout autre visage. Sa légendaire obstination, qui fut admirable face à Hitler, ne le fut aucunement face au brave Nahhas Pacha – un patriote modéré, un patricien occidentalisé, un moderniste audacieux, qui était allé jusqu'à confier à un homme des Lumières comme Taha Hussein le porte-feuille de l'Éducation nationale.

Il va de soi que l'objectif de Churchill n'était pas de fermer la voie à une évolution pacifique et harmonieuse de l'Égypte. Il voulait seulement préserver, coûte que coûte, les intérêts de la Couronne britannique, sans se préoccuper des effets secondaires qui pouvaient découler de ses actes. Mais les retombées en furent calamiteuses. Sans la tuerie du 25 janvier 1952, que Churchill avait sinon ordonnée, du moins autorisée, une autre forme de patriotisme aurait peut-être prévalu, et l'avenir de l'Égypte, comme de l'ensemble du monde arabe, aurait pu suivre une tout autre voie.

La culpabilité du grand homme est plus évidente encore dans un autre dossier, celui de l'Iran. Churchill en personne s'est démené pour abattre le gouvernement du docteur Mossadegh, un démocrate moderniste dont le seul crime avait été de réclamer pour son peuple une part plus importante des revenus pétroliers. On sait aujourd'hui, documents en mains, que c'est le Premier ministre britannique qui est allé faire du lobbying à Washington pour convaincre les Américains d'organiser un coup d'État à Téhéran en 1953.

Ainsi, par son action en Égypte, Churchill a favorisé l'émergence du nationalisme arabe dans sa version autoritaire et xénophobe ; et par son action en Iran, il a pavé la voie à l'islamisme khomeyniste. En toute bonne conscience, je présume, dans les deux cas...

*

Mais je referme la parenthèse pour revenir à mon interrogation initiale : les miens ont-ils été chassés injustement de leur paradis, ou ont-ils mérité d'être punis ?

S'il s'agit de savoir quels étaient leurs sentiments en ces années-là, je crois les connaître, et je ne chercherai pas à nier l'évidence : comme la plupart des « égyptianisés », qu'ils fussent syro-libanais, italiens, français, grecs, juifs ou maltais, ils préféraient certainement le règne des pachas à celui des colonels. Le *statu quo* leur convenait, ils auraient voulu qu'il se prolonge indéfiniment. Et même quand ils n'avaient pas beaucoup de sympathie pour la politique des Anglais, ils voyaient en eux des garants de la stabilité.

Ma mère m'a raconté qu'au moment du grand incendie, et alors qu'elle craignait de voir les émeutiers envahir Héliopolis pour y semer la dévastation comme dans le centre du Caire, elle avait envisagé de partir en voiture avec sa propre mère vers la zone du Canal, que les Britanniques tenaient. Elle n'y avait renoncé que parce que les routes n'étaient pas sûres.

Une attitude peu patriotique, je veux bien l'admettre. Mais qu'aurait-il fallu faire ? Attendre docilement la horde des incendiaires ? Finalement, ces derniers se sont arrêtés avant d'avoir atteint Héliopolis. « Notre » maison avait été sauvée. Mais seulement pour être bradée, quelque temps plus tard, lorsqu'il fallut quitter le pays définitivement.

Pris en tenaille entre deux forces indomptables, celle de la rage arabe qui montait, et celle de l'arrogance occidentale qui frappait à gauche, à droite, avec la subtilité d'un pachyderme ivre, les miens étaient perdus, quoi qu'ils fassent. On ne leur reprochait pas leurs opinions, leurs propos, ni leurs actes, on leur reprochait leurs origines, qu'ils n'avaient pas choisies et qu'ils ne pouvaient pas modifier.

De ce fait, je n'accorderai pas beaucoup d'importance aux réactions qu'ils ont pu avoir en ces années d'angoisse. Lorsque leur univers avait commencé à sombrer, ils avaient tenté de s'agripper à la planche qui semblait pouvoir leur éviter de se noyer, quelle qu'elle fût – un roi, un pacha, une armée étrangère. S'ils ne furent pas innocents, ils ne furent pas coupables non plus.

4

Avec le passage des ans, et à la lumière des événements qui se sont produits dans les dernières décennies, le dilemme moral qui me taraudait depuis l'adolescence me paraît désormais sans objet. J'ai cessé de me demander si les miens, comme l'ensemble des « égyptianisés », avaient mérité leur sort ; et si Nasser avait eu le droit de les pousser ainsi, sans ménagement, hors du pays où ils étaient nés.

Aujourd'hui, je suis persuadé que la bonne attitude en la matière, c'est celle qu'a adoptée un autre grand dirigeant du continent africain, né la même année que le raïs, 1918, mais apparu plus tardivement sur la scène internationale : Nelson Mandela. Quand, après avoir passé vingt-six ans de sa vie dans les geôles du régime ségrégationniste, il était sorti triomphant et s'était retrouvé président de l'Afrique du Sud, il ne s'était pas demandé si les Blancs l'avaient soutenu lors du combat pour la libération ; s'ils s'étaient départis de leur arrogance de colons et de leur sentiment de supériorité ; s'ils avaient su s'intégrer à la population locale dans un esprit de respect et de fraternité ; et s'ils avaient donc mérité de faire partie de la nouvelle nation... À chacune de ces questions, la réponse aurait été « non ». Mais Mandela s'est bien gardé de se les poser. C'est une tout autre interrogation qu'il avait à l'esprit : mon pays se porterait-il mieux si les Afrikaners y restaient au lieu de s'en aller ? Et la réponse lui paraissait évidente : pour la stabilité de l'Afrique du Sud, pour sa santé économique, pour le bon fonctionnement de ses institutions, pour son image dans le monde, il valait mieux retenir la minorité blanche, quel qu'ait pu être son comportement jusque-là. Et le nouveau président fit ce qu'il fallait pour encourager ses ennemis d'hier à ne pas déserter son pays.

L'un des moments les plus hautement symboliques fut celui où, surmontant à la fois les ressentiments du passé et l'ivresse de la victoire, il se rendit chez Mme Verwoerd, la veuve du Premier ministre qui l'avait jeté en prison, pour prendre le thé avec elle et la rassurer quant à l'avenir.

Avait-il agi de la sorte par habileté politique, ou bien par magnanimité ? À vrai dire, peu importe. On a tort de mettre systématiquement en opposition les intérêts et les principes. Parfois, ils se rejoignent. La magnanimité est quelquefois une habileté, et la mesquinerie une maladresse. Notre monde cynique répugne à l'admettre, mais l'Histoire regorge d'exemples probants. Souvent, lorsqu'un pays trahit ses valeurs, il trahit aussi ses intérêts.

Le premier cas auquel je songe est celui de Louis XIV, lorsqu'il révoqua, en 1685, l'édit de Nantes par lequel son grand-père, Henri IV, avait accordé la liberté de culte à la minorité protestante. Poussés hors de France, ceux qu'on appelait alors les huguenots furent accueillis dans d'autres contrées européennes, et ils contribuèrent grandement à la prospérité d'Amsterdam, de Londres ou de Berlin ; s'agissant de cette dernière ville, beaucoup d'historiens pensent que son accession au rang de métropole date de l'arrivée des réfugiés français ; un fait particulièrement éloquent quand on sait qu'elle allait devenir la grande rivale de Paris.

L'expulsion massive des huguenots avait donc eu pour effet d'appauvrir la France et d'enrichir ses rivaux. On pourrait dire exactement la même chose de l'expulsion des musulmans et des juifs par les rois catholiques, au lendemain de la prise de Grenade en 1492 ; à cause de cette mesure, dictée par l'intolérance et par la suffisance, l'Espagne se révélera incapable de tirer les bénéfices de sa conquête des Amériques ; et elle mettra cinq cents ans à rattraper son retard sur les autres nations européennes.

La seule excuse que l'on puisse trouver aux souverains qui avaient pris ces décisions désastreuses, c'est que la myopie dont ils avaient fait preuve était si répandue à travers le monde qu'elle semblait être la sagesse même. N'étaient-ils pas en droit de penser que leurs royaumes deviendraient plus forts en devenant plus homogènes ? Et que le Ciel les comblerait de ses grâces pour les récompenser d'avoir chassé les « hérétiques » et les « infidèles » ? Dans la réalité, les choses ne se passent pas ainsi. Ni au xve siècle, ni au xviie, ni aujourd'hui. Tout au long de l'Histoire, les expulsions massives, qu'elles paraissent justifiées, légitimes ou pas, ont généralement nui à ceux qui sont restés bien plus qu'à ceux qui ont été chassés. Sans doute ces derniers souffrent-ils au début ; mais, le plus souvent, ils se ressaisissent, ils surmontent leur traumatisme, et ils finissent souvent par accomplir des prodiges, pour le plus grand bénéfice des pays qui les ont accueillis.

Ce n'est pas un hasard si la nation la plus puissante de la planète, à savoir les États-Unis, s'est fait une spécialité d'accueillir des vagues successives de bannis et d'expulsés, depuis les puritains anglais jusqu'aux juifs d'Allemagne, en passant par les rescapés des révolutions russe, chinoise, cubaine ou iranienne, sans oublier les protestants de France – chez le président Franklin Delano Roosevelt, le nom central est celui d'un ancêtre huguenot qui s'appelait originellement De Lannoy.

*

J'aurai, plus d'une fois encore, l'occasion d'évoquer ce mythe pervers de l'homogénéité – religieuse, ethnique, linguistique, raciale, ou autre – par lequel tant de sociétés humaines se laissent leurrer. Dans l'immédiat, je voudrais m'arrêter plus spécifiquement sur la question des populations perçues comme « allogènes », et de la fonction qu'elles peuvent remplir auprès des sociétés où elles vivent.

Souvent, les minoritaires sont des pollinisateurs. Ils rôdent, ils virevoltent, ils butinent, ce qui donne d'eux une image de profiteurs, et même de parasites. C'est quand ils disparaissent que l'on prend conscience de leur utilité.

Le ressentiment que les peuples colonisés éprouvent

envers leurs colonisateurs est compréhensible ; et il est normal qu'il s'accompagne de méfiance et même d'hostilité envers ceux qui furent les alliés ou les protégés des anciens maîtres. Néanmoins, l'histoire des dernières décennies nous apprend que, très vite après le combat pour la libération, arrive l'heure du combat pour le développement et la modernisation. Dans cette nouvelle phase, la présence d'une population qualifiée, ayant un accès immédiat aux sociétés industrialisées, est un atout irremplaçable. On pourrait comparer cet accès à une artère reliant la jeune nation au cœur du monde développé. Couper cette artère est absurde, c'est une automutilation et quasiment un suicide. Que de pays ne s'en sont jamais remis !

L'hostilité et la méfiance sont compréhensibles au sortir d'un combat éprouvant. Mais un grand dirigeant se doit d'être à la fois visionnaire et pragmatique ; il doit savoir s'élever au-dessus des ressentiments épidermiques, pour expliquer à ses camarades de lutte et à l'ensemble de ses compatriotes que les priorités ont changé, et que certains ennemis farouches d'hier sont devenus, à l'instant de la victoire, des partenaires précieux. En raison de leur proximité avec le centre économique et intellectuel de la planète. Et aussi parce qu'ils possèdent, grâce à la position privilégiée qui avait été la leur, un savoir-faire irremplaçable. Même l'armée et la police, qui avaient été des instruments de répression au service de l'apartheid, Mandela a su les reconvertir et les mettre au service de « la nation arc-en-ciel ».

Nasser n'a rien su faire de tout cela, mais je me

garderai bien de l'accabler pour autant. Il est arrivé au pouvoir quarante ans avant Mandela ; et, sans même prendre en compte la différence de caractère entre les deux hommes, il ne fait pas de doute que le monde avait changé entre-temps. Dans beaucoup de domaines, le raïs était prisonnier des conceptions qui prévalaient à son époque. Le colonialisme n'apparaissait pas encore comme un chapitre clos de l'histoire humaine. La chute de Mossadegh n'avait-elle pas montré que les Occidentaux, une fois chassés, pouvaient revenir en force et reprendre les choses en main ?

Sur un autre plan, qui allait s'avérer déterminant, celui de l'économie, le raïs ne voyait pas l'utilité que pouvaient représenter pour son pays les compétences exceptionnelles des communautés égyptianisées ; dans les années cinquante et soixante, le socialisme dirigiste, fondé sur les nationalisations et sur une gestion étatique des entreprises, apparaissait encore comme une voie prometteuse pour l'économie.

À ces « myopies » s'en ajoutent d'autres, qui ne s'expliquent pas seulement par les dates ni par les illusions de l'époque. Je songe en particulier à un comportement, très caractéristique de la vie politique arabe, et qui a représenté, tout au long de l'histoire récente, une véritable plaie. Je le définirai comme une incapacité maladive à résister aux surenchères. Nasser éprouvait constamment le besoin de montrer qu'il était plus nationaliste que les Frères musulmans et plus radical que les autres dirigeants nationalistes. Même devenu le leader incontesté de l'Égypte et l'idole des foules arabes, il est resté terrifié à l'idée qu'il pourrait se laisser déborder par « plus Nasser que lui ».

Et un jour, de peur d'être accusé de mollesse, il se laissa entraîner dans une guerre dont il ne voulait pas, et qui allait se révéler fatale pour lui comme pour la nation qui croyait en lui.

Je reviendrai plus longuement sur cet épisode traumatisant, survenu en 1967, alors que tous les miens avaient quitté l'Égypte depuis longtemps. Bien entendu, ils continuaient à en parler sans arrêt, avec un mélange de tendresse et de rancœur.

Pour ma part, c'est à l'âge de huit ans que je m'étais rendu une toute dernière fois dans notre maison d'Héliopolis. Ma mère m'y avait emmené avec elle pour que je l'aide à ramasser quelques affaires personnelles, avant que les lieux ne soient évacués pour toujours. Ma grand-mère venait de succomber à un cancer. L'immeuble était à son nom, et sur son lit de mort, elle l'avait vendu, signe des temps, à un officier de l'armée égyptienne. À vil prix, forcément, mais elle avait fait promettre à l'acheteur de laisser, sur la façade, la statue de sainte Thérèse, qu'elle avait fait venir d'Italie vingt-cinq ans plus tôt pour veiller sur la maison nouvellement construite.

L'officier a tenu parole, et ses héritiers de même. Aux dernières nouvelles, la sainte est toujours à sa place.

5

Le paradis de ma mère était irrémédiablement perdu,
et les turbulences ont même failli s'étendre, dans la foulée, à celui de mon père. Mais le Liban allait « passer
entre les gouttes », cette fois-là, et bénéficier d'un sursis.
Et même, pourrait-on dire avec le recul de l'Histoire,
d'un ultime âge d'or.

Quand, dans les années soixante, j'ai ouvert les yeux
sur le monde qui m'entourait, Beyrouth avait commencé
à supplanter Le Caire comme capitale intellectuelle de
l'Orient arabe. Alors même que Nasser devenait, et de loin,
la personnalité la plus influente de la région, le pouvoir
sans partage qu'il exerçait dans son pays s'était traduit par
une mise au pas des journaux, des maisons d'édition, des
milieux académiques et des mouvements politiques. De ce
fait, « l'agora » des débats arabes s'était déplacée vers un
terrain neutre où aucune autorité écrasante ne sévissait.

En l'occurrence, vers le Liban : nul pays ne pouvait,
mieux que lui, jouer un tel rôle. Réunissant des communautés nombreuses, aux sensibilités très diverses, et dont
aucune ne pouvait prétendre à une position hégémonique,
il était le lieu idéal du foisonnement et du pluralisme. Et

c'est tout naturellement vers lui qu'avaient dérivé tous ceux qui ne pouvaient plus s'exprimer chez eux.

Les États voisins devenaient de plus en plus inhospitaliers pour ceux qui n'étaient pas – ou n'étaient plus – au pouvoir. C'était notamment le cas de la Syrie.

Peu de gens se souviennent de l'époque où ce pays avait encore une presse indépendante, des élections libres, et un large éventail de partis politiques. Ce temps-là a bel et bien existé, même si je n'en ai aucun souvenir direct, vu qu'en mars 1949, un mois après ma naissance, Damas connut son premier coup d'État. Un général s'empara du pouvoir et suspendit la Constitution. En juin, il se fit élire président de la République avec 99 % des voix et s'octroya le titre de maréchal. Mais en août, il fut renversé par un deuxième coup d'État, et sommairement exécuté. Puis, en décembre, son tombeur fut lui-même renversé, avant d'être assassiné quelques mois plus tard…

Après 1949, l'année des trois coups d'État, la démocratie n'a plus jamais réussi à s'imposer en Syrie. Le pays n'a plus connu qu'une triste et frustrante alternance entre des phases d'instabilité et des phases de dictature. Et à chaque secousse, les perdants venaient s'exiler au Liban – des officiers limogés, des politiciens échappés de prison, des industriels dont les usines avaient été nationalisées, des artistes et des intellectuels cherchant un espace de liberté…

Il y eut, pendant des décennies, entre Damas et Beyrouth, un flux continu de réfugiés, dont certains, qui appartenaient déjà à l'élite syrienne, purent intégrer sans grande difficulté l'élite du pays d'accueil. Personne ne s'offusquait en apprenant que tel poète, telle comédienne, tel compositeur, tel ministre ou tel président libanais était né à Damas, à Alep ou à Lattaquié plutôt qu'à Beyrouth ou à Tyr.

Je me suis attardé sur le cas syrien, qui est le plus frappant ; mais le phénomène était bien plus ample, et plus ancien. Le Liban a longtemps joué un rôle de terre d'asile pour les « mal-aimés » du Moyen-Orient. Un peu comme l'avait fait l'Égypte jusqu'aux années quarante. Ce qui peut donner à l'observateur tardif une fausse impression de similitude entre les deux modèles levantins. Dans la réalité, ils ne reposaient pas sur les mêmes bases.

Le cosmopolitisme à l'égyptienne s'apparentait à la longue tradition des « échelles », ces comptoirs où les ressortissants européens bénéficiaient de la protection des consuls des Puissances, en vertu de traités inégalitaires imposés jadis à « l'homme malade » ottoman. Sans doute n'était-on plus dans le même environnement politique, mais certaines pratiques persistaient. Si un Italien vivant en Égypte venait à assassiner son voisin, il pouvait demander à être jugé en Italie, et les autorités locales n'avaient pas le droit de s'y opposer.

Je n'ai pas pris cet exemple au hasard, il m'a été inspiré par un fait réel qui avait défrayé la chronique du temps de mes grands-parents. En mars 1927, Salomon Cicurel, principal propriétaire des magasins du même nom, fut assassiné de huit coups de couteau dans sa villa du Caire. La police n'eut aucun mal à remonter jusqu'à ses meurtriers : son chauffeur ; un ancien employé qu'il avait licencié ; et deux complices. Sur les quatre criminels, deux étaient de nationalité italienne, justement, et l'on fut obligé de les remettre aux autorités de leur pays sans pouvoir les juger ; un troisième était grec, et on dut le livrer à la Grèce ; seul le quatrième, un certain Dario Jacoel, que les documents de l'époque désignent comme « juif apatride », fut jugé et condamné. Il prétendait être lui aussi italien, et même membre du Parti fasciste, mais il ne put en apporter la preuve. On le déclara « âme du complot », alors qu'il n'était manifestement qu'un comparse, et il fut dûment pendu.

L'affaire fit grand bruit. Des intellectuels égyptiens de renom prirent la plume pour dénoncer une situation aberrante qui plaçait les ressortissants étrangers au-dessus des lois, procurant à chacun d'eux une sorte d'immunité diplomatique, pour ne pas dire une garantie d'impunité.

Ces privilèges abusifs suscitaient à la fois des appétits et des ressentiments. Certaines catégories de la population cherchaient à se rapprocher des Occidentaux pour bénéficier des mêmes avantages. Mais la plupart des autochtones voyaient dans le statut des ressortissants étrangers une insulte à l'indépendance du pays et à sa dignité. L'incendie du Caire ne fut-il pas un révélateur de l'immense colère qui couvait ? Bien d'autres déchaînements allaient se produire, au fil des ans, dans plusieurs pays de la région, pour des raisons similaires.

Avec, parfois, des conséquences lourdes et durables. Ainsi, la rupture entre l'ayatollah Khomeiny et le régime du shah fut consommée le jour où le monarque accepta, en 1964, à la demande de Washington, que les militaires américains installés en Iran ne puissent jamais être jugés par les tribunaux locaux. Une contestation radicale naquit alors, qui devait aboutir, quinze ans plus tard, à l'écroulement de la monarchie et à l'avènement de la République islamique... Je ne doute pas que ce bouleversement – sur lequel j'aurai l'occasion de revenir – s'explique par de nombreuses raisons ; mais la rage contre l'extraterritorialité dont bénéficiaient les Occidentaux a été, indéniablement, un facteur déterminant. Ce n'est d'ailleurs pas par hasard si l'un des premiers actes des militants révolutionnaires iraniens fut de bafouer l'immunité de l'ambassade américaine et de prendre les diplomates en otage.

C'était là, bien sûr, un défi flagrant à toutes les conventions internationales. Mais c'était avant tout un acte de rébellion contre un « ordre mondial » qui prévalait depuis des siècles, et qui instaurait, de manière parfois explicite et parfois implicite, une hiérarchie entre les peuples et entre les cultures, avec les Occidentaux trônant sur la plus haute marche.

Pour les populations qui l'avaient subi, cet ordonnancement inégalitaire a toujours été dégradant ; et au crépuscule de l'ère coloniale, il était devenu inacceptable. Tout ce qui en relevait était désormais rejeté avec rage. Même les quelques retombées positives que l'on pouvait légitimement mettre à son actif. Comme d'avoir favorisé l'émergence, à Shanghai, à Calcutta, à Alger ou à Alexandrie, de « paradis » culturels où avaient pu éclore, pour un temps, des fleurs délicates, nées de rencontres rares entre diverses langues, diverses croyances, divers savoirs, diverses traditions.

Cette sublime floraison ne pouvait qu'être éphémère. Fondée sur des bases aussi iniques, elle n'avait aucune chance de se perpétuer. Quant aux communautés perçues comme « allogènes », même lorsqu'elles n'étaient pas responsables de la situation qui assurait leur statut, elles semblaient coupables du seul fait qu'elles en bénéficiaient. Et elles ont fini par en payer le prix. Ce fut le cas en Égypte pour les Syro-Libanais ou les Grecs, en Libye pour les Italiens, comme en Algérie pour les pieds-noirs.

J'aurais été enchanté si l'univers culturel qui avait produit Cavafy, Camus, Ungaretti ou Asmahane avait pu se transformer et s'adapter au lieu de disparaître complètement ; mais il faut bien reconnaître que ses fondements étaient vermoulus.

L'Égypte de ma famille maternelle était destinée à s'effondrer. Elle n'était plus qu'une survivance, le témoin mourant d'un âge révolu. Nasser lui a donné le coup de grâce, et elle ne s'est plus relevée.

*

Le Liban n'était pas dans le même cas de figure. Aucune catégorie de la population n'y bénéficiait d'un statut d'extraterritorialité. L'objectif des fondateurs du pays était d'organiser la cohabitation et de maintenir l'équilibre entre les communautés religieuses locales

– les maronites, les druzes, les sunnites, les chiites, les grecs-orthodoxes ou les grecs-catholiques ; et aussi les arméniens, les syriaques, les juifs, les alaouites ou les ismaéliens.

Certaines communautés étaient là depuis un temps immémorial, alors que d'autres étaient arrivées depuis quelques décennies à peine, mais aucune n'était considérée comme étrangère ; du temps de mon enfance, il eût été inconvenant, et même carrément grossier, de faire la distinction entre « autochtones » et « allogènes », ou entre Libanais de souche et Libanais de fraîche date. Ce modèle levantin ne souffrait donc pas du vice originel qui entachait le pluralisme cosmopolite à l'égyptienne.

Mais il avait, hélas, ses propres tares. Notamment cette habitude qu'avaient les différentes communautés de se chercher des protecteurs en dehors du pays pour renforcer leur position à l'intérieur. C'est comme si, en Suisse – puisqu'on a souvent dit du Liban qu'il était la Suisse du Proche-Orient –, les habitants de Zurich, de Genève ou du Tessin faisaient appel à l'Allemagne, à la France et à l'Italie chaque fois qu'ils avaient un conflit avec le canton d'en face. La Confédération aurait, sans surprise, volé en éclats.

« Au début, m'a expliqué un jour mon père, on nous disait que ces comportements malsains étaient un héritage de notre histoire mouvementée, et qu'avec le temps, nous finirions par nous en débarrasser. »

Il est vrai qu'autrefois, les petites communautés qui

s'étaient installées dans la montagne libanaise, et qui avaient du mal à survivre sous un régime ottoman caractérisé par les avanies, les vexations quotidiennes et le règne de l'arbitraire, éprouvaient le besoin d'avoir un protecteur. Les maronites s'étaient liés à la France, et leurs rivaux, les druzes, avaient pris langue avec l'Angleterre. Les sunnites comptaient sur les Turcs, les orthodoxes sur les Russes, et ainsi de suite. La communauté grecque-catholique, à laquelle appartenait mon père, s'était mise sous l'ombrelle de l'Empire austro-hongrois ; une affiliation largement symbolique, même si j'ai toujours vu, dans l'une des maisons du village, une imposante photo encadrée de l'empereur François-Joseph.

Ces affinités procuraient aux gens du pays une ouverture sur le monde, ou tout au **moins** le sentiment de ne pas être totalement abandonnés. Elles ont eu, indéniablement, certains effets positifs, comme de favoriser la création d'établissements scolaires et universitaires de qualité. Et elles ont joué un rôle déterminant dans la naissance du pays.

Quand, au lendemain de la Première Guerre mondiale, l'empire des sultans avait commencé à se désintégrer, les chefs de l'Église maronite s'étaient démenés pour que la France soit la puissance mandataire sur leur territoire, et pour qu'elle trace les frontières d'un nouvel État où ils pourraient se sentir chez eux. C'est ainsi qu'est né le Liban dans ses limites actuelles.

Les premiers temps, il apparaissait d'ailleurs, aux yeux d'un grand nombre de ses fils, comme une invention française conçue avant tout pour les maronites. Pourquoi

n'a-t-on pas créé plutôt une grande Syrie ? se demandaient certains lettrés de cette époque. Et pourquoi pas
un vaste ensemble groupant tous les peuples arabes ? se
demandaient d'autres.

Dans cette région aux populations entremêlées et aux
souverainetés récentes, les projets d'union ont toujours
eu beaucoup de partisans. Sans doute étaient-ils passablement irréalistes. Mais pas plus que de vouloir donner à
chacune des innombrables communautés son propre État
souverain. Et pas plus que de vouloir ériger en patries
éternelles des entités nées du dernier découpage ou du
dernier collage.

6

La question de l'unité arabe allait occuper le devant de la scène tout au long des années qui suivirent l'avènement de Nasser. Devenu le héros suprême des peuples de la région, il s'était fixé pour objectif de les rassembler tous au sein d'un même État allant « de l'océan au Golfe », abolissant ainsi les frontières dessinées par les colonisateurs. Les foules applaudissaient son projet avec enthousiasme.

Cette ferveur monta d'un cran en février 1958, lorsque les dirigeants syriens, las de l'instabilité chronique qui affectait leur pays et conscients de l'adhésion massive de leurs concitoyens aux thèses du panarabisme, demandèrent solennellement au raïs de venir prendre le pouvoir chez eux. Un État unitaire fut proclamé, qui prit le nom de République arabe unie, avec l'Égypte comme « province méridionale » et la Syrie comme « province septentrionale ».

Dans de nombreux pays de la région, la naissance de la RAU fut accueillie par la population avec ravissement. Que l'unité arabe, considérée jusque-là comme un rêve lointain, fût en train de se réaliser concrètement, suscita un immense espoir, de l'Irak au Yémen et du Soudan au Maroc. À Beyrouth, comme dans plusieurs autres villes libanaises, des manifestations de masse furent organisées pour exiger que le pays se joigne sans tarder à la RAU, et en devienne « la province occidentale ».

Ai-je besoin de souligner que, dans ma famille maternelle, qui venait tout juste de fuir l'Égypte, son régime policier et ses nationalisations punitives, pour se réfugier au Liban, on contemplait avec horreur la perspective d'une annexion de ce dernier à la nouvelle république nassérienne ? On avait l'impression d'être pourchassé par le destin avec acharnement.

Mon père, par conviction personnelle autant que par empathie avec les sentiments de ma mère, était inquiet et indigné de ce qui se passait. En ce temps-là, il tenait dans la presse une chronique quotidienne incisive et sarcastique qui lui valait un grand succès auprès du public. Il y prenait généralement pour cible les atavismes de ses concitoyens et les incongruités de la vie politique. À la proclamation de la RAU, il s'était déchaîné : « Quand on a le privilège de s'appeler l'Égypte, on ne change pas de nom ! Dans les plus grandes universités de la planète, il y a des savants éminents qui portent fièrement le titre d'égyptologues ! Devrions-nous désormais les appeler "rauologues", et demander aux grandes universités qui possèdent des départements d'égyptologie, de les rebaptiser départements de "rauologie" ? »

Beaucoup de lecteurs riaient de bon cœur. Mais beaucoup d'autres ne riaient pas. Mon père reçut même des menaces de mort. Tous ses amis lui conseillèrent de calmer sa plume, et de ne plus s'en prendre à l'idole des masses de peur qu'il ne se fasse agresser par quelque fanatique. Il est vrai que les esprits étaient échauffés, et que la tension montait dangereusement. Les disputes entre pro-nassériens et anti-nassériens allaient d'ailleurs dégénérer en une véritable guerre civile. Qui fut brève, mais hargneuse et sanglante, puisqu'elle fit plusieurs milliers de victimes.

J'avais neuf ans, et je ne garde que des souvenirs brumeux de ce qu'on appelle, dans l'histoire de mon pays natal, « la révolution de 58 ». Ce qui s'est imprimé dans ma mémoire, ce sont surtout les voix de mon père et de ma mère quand ils évoquaient devant moi certains événements tragiques : l'assassinat d'un journaliste chrétien favorable à Nasser ; l'enlèvement et le meurtre d'un autre journaliste, également chrétien, mais farouchement hostile à Nasser ; l'incendie, par des émeutiers, de la résidence du Premier ministre, l'un des rares politiciens musulmans à avoir osé prendre position ouvertement contre le raïs... Je me rappelle aussi que les écoles demeurèrent fermées pendant six mois.

Quand, le 14 juillet de cette année-là, une révolution sanglante renversa la monarchie irakienne, et que les membres de la famille royale ainsi que les dirigeants favorables à l'Occident furent massacrés dans les rues, les États-Unis redoutèrent que le Liban soit emporté par le torrent nationaliste de gauche qui déferlait sur l'Orient arabe. Dans les quarante-huit heures, leurs troupes étaient sur place, venues de leur flotte en Méditerranée, de leurs bases en Allemagne, et certaines même transportées par un pont aérien à partir de la Caroline du Nord. Pas moins de quatorze mille hommes prirent part à l'opération ; ils sécurisèrent le port de Beyrouth, l'aéroport, les principales artères et les bâtiments du gouvernement. Les combats entre les factions locales se calmèrent aussitôt.

Pour mettre fin à la crise, un nouveau président fut élu par le Parlement, avec la bénédiction de Washington. C'était le chef de l'armée, le général Fouad Chéhab. Descendant d'une famille princière qui avait longtemps gouverné la Montagne libanaise sous les Ottomans, formé à l'école militaire de Saint-Cyr, admirateur du modèle républicain français, il avait, plus que tout autre dirigeant libanais, le sens de l'État et la volonté de bâtir une nation. Il proclama aussitôt que les événements qui venaient d'ensanglanter le pays n'avaient produit « ni vainqueur, ni vaincu » ; et il se lança dans un vaste chantier visant à consolider la réconciliation et à doter le pays d'institutions modernes.

L'une de ses premières initiatives fut un geste symbolique d'une grande portée, et qui aurait pu avoir des effets durables si le pays et sa région avaient évolué différemment : une rencontre en tête à tête avec Nasser à la frontière syro-libanaise, ou plus précisément dans une cabane bâtie à cheval sur la ligne frontalière séparant le Liban de la « province septentrionale » de la RAU.

Dans cette modeste construction rectangulaire en tôle ondulée, très mal chauffée en dépit des températures hivernales, le président d'une petite nation fragile et divisée se fit un devoir de discuter d'égal à égal avec l'homme le plus puissant et le plus redouté du monde arabe, et de parvenir avec lui à une sorte de « compromis historique », Chéhab s'engageant à ce que son pays ne serve plus jamais de base aux ennemis de Nasser, et celui-ci promettant, en échange, de ne plus jamais parler d'un rattachement du Liban à la République arabe unie.

Chez les miens, on n'était pas très favorable à cet arrangement. La critique qui revenait sans cesse dans les conversations familiales, c'est que le président libanais s'était « aligné » sur Nasser, qu'il avait transformé notre pays en « satellite » de la RAU, et qu'on allait bientôt voir notre presse bâillonnée et nos entreprises nationalisées.

Mais ces craintes n'étaient pas du tout justifiées. Avec le recul, cette réunion dans la cabane frontalière apparaît même comme l'un des rares moments où le Liban avait su défendre intelligemment sa souveraineté et se préserver des tumultes mortifères de sa région.

*

À l'aube du 28 septembre 1961, Damas fut le théâtre d'un nouveau coup d'État. Cette fois contre Nasser, contre l'union avec l'Égypte. Les putschistes accusèrent le raïs d'avoir méprisé leur pays, de l'avoir traité comme une colonie ou une prise de guerre et de l'avoir appauvri. Il est vrai que son socialisme bureaucratique s'était révélé, pour l'économie syrienne, aussi ruineux que pour l'économie égyptienne.

Dans ma famille, l'éclatement de la RAU fut accueilli avec soulagement, et même avec allégresse. Je me souviens encore des cris de joie autour du transistor qui diffusait les communiqués et les chants patriotiques de Radio Damas, contrôlée par les putschistes. Mon père se montra tellement enthousiaste dans sa chronique du lendemain que Chéhab le convoqua au palais présidentiel pour le sermonner.

Le chef de l'État redoutait que la frustration des nombreux partisans de Nasser ne se traduise par des émeutes dans les rues de Beyrouth et des autres villes libanaises, où le souvenir des événements de 1958 était encore vivace. Il ne faut surtout pas verser de l'huile sur le feu ! insista-t-il. Les éditorialistes devaient se montrer responsables et circonspects. « Puisque nous avons obtenu ce que nous voulions, faisons semblant d'être tristes pour ceux qui ont perdu », avait dit Chéhab, avec un léger sourire. Mon père, qui m'a souvent répété ce propos, n'a jamais su si l'emploi de ce « nous » était une tournure de style, ou si le président voulait lui faire comprendre qu'il avait les mêmes sentiments que lui.

Ce qui est certain, c'est que l'union syro-égyptienne avait constitué une menace sérieuse et imminente pour l'indépendance du Liban comme pour sa paix civile, et que grâce à la sagesse, à la clairvoyance et à l'habileté de ses dirigeants de l'époque, le pays était sorti de l'épreuve indemne, et peut-être même consolidé.

Dans les années suivantes, on vit se former, pour les échéances électorales, deux coalitions : l'une favorable à la

ligne politique du président Chéhab et appelée justement
« la Ligne », l'autre défavorable et baptisée « l'Alliance ».
Chacune regroupait aussi bien des chrétiens que des
musulmans, qui s'affrontaient sur des idées, des pro-
grammes, pas seulement en fonction des considérations
claniques ou confessionnelles. Le pays semblait engagé
sur le bon chemin, celui d'une nation adulte, bien déci-
dée à se moderniser et à « séculariser » graduellement sa
vie politique et ses institutions.

Cette orientation était noble, saine, stimulante, audacieuse, et elle avait des chances de réussir. Le pays avait
de sérieux atouts. Il était à l'avant-garde de sa région par
ses écoles, ses universités, ses journaux, ses banques, et ses
traditions marchandes. Il se distinguait par une grande
liberté d'expression, et une grande ouverture sur l'Orient
comme sur l'Occident. Il aurait pu tirer l'univers levantin
et l'ensemble du monde arabe vers le haut, vers plus de
démocratie et plus de modernité. Mais c'est lui qui a été
tiré vers le bas. Vers plus de violence et plus d'intolérance.
Vers la détresse et la régression. Vers la perte de toute
confiance en soi et de toute vision de l'avenir.

7

La ruine de ce modèle qui fut si prometteur me cause une tristesse dont je n'ai plus le temps de me consoler. Et je n'ai pas non plus le cœur à chercher des excuses faciles. Sans doute l'échec s'explique-t-il en partie par les crises proche-orientales, qui ont confronté mon pays natal à de gigantesques défis. Mais il s'explique aussi par la manière désastreuse dont on a réagi à ces crises.

Dans les pages précédentes j'ai évoqué un moment crucial où les responsables ont su trouver la bonne manière de sortir d'un mauvais pas. Ce fut là l'exception, hélas, et non la règle. Depuis l'indépendance, et surtout dans les dernières décennies, peu de dirigeants ont fait preuve d'un grand sens de l'État. La plupart n'ont eu pour boussole que les intérêts de leur faction, de leur clan ou de leur communauté religieuse. Chercher des alliés puissants hors des frontières nationales a été pour eux une pratique courante.

Chacun justifiait ses compromissions par le fait que les siens étaient minoritaires, qu'ils avaient longtemps souffert et qu'ils avaient à tout prix besoin de se défendre. Bien entendu, toutes les communautés du Liban sont minoritaires, même les plus nombreuses ; toutes ont connu, un jour ou l'autre, des persécutions ou des humiliations ; et toutes ont ressenti le besoin de ruser et de se protéger pour survivre. De ce fait, chacune s'est employée à tisser ses réseaux régionaux et internationaux, avec des partenaires de toute sorte, qui nourrissaient leurs propres ambitions, leurs propres frayeurs, leurs propres inimitiés...

Au fil des ans, des crises et des guerres, la terre libanaise est devenue un champ ouvert où se livraient, directement ou par personnes interposées, d'innombrables combats : entre Russes et Américains, entre Israéliens et Palestiniens, entre Syriens et Palestiniens, entre Syriens et Israéliens, entre Irakiens et Syriens, entre Iraniens et Saoudiens, entre Iraniens et Israéliens – la liste est longue. Et à chaque fois les belligérants extérieurs obtenaient le concours de telle ou telle faction locale qui, sous d'excellents prétextes, jugeait habile et légitime de s'appuyer sur eux pour avancer ses propres pions, sans trop se soucier du pays et de ses équilibres fragiles.

Les murs de la petite patrie ont fini par se lézarder, des élégantes toitures jusqu'aux fondations. Plus rien ne ressemblait à ce qu'on avait voulu bâtir, et plus rien ne fonctionnait convenablement. Les institutions politiques étaient tellement ébranlées qu'à chaque échéance électorale, elles menaçaient de s'effondrer. L'économie ne tenait plus debout que grâce à des bricolages laborieux qui retardaient d'un semestre à l'autre la banqueroute. La corruption s'apparentait à un pillage systématique, tandis que la population était privée des services élémentaires que sont l'eau, l'électricité, les soins médicaux, les transports en commun, les télécommunications ou le ramassage des ordures.

Ce délabrement matériel et moral est d'autant plus affligeant que le Beyrouth de ma jeunesse vivait, en matière de coexistence entre les religions, une expérience rare, qui aurait pu, je crois, offrir à sa région si tourmentée, et même à d'autres parties du monde, un exemple à méditer.

Je n'ignore pas que tout être humain est tenté, en vieillissant, d'ériger le temps de sa jeunesse en âge d'or. Néanmoins, force est de constater que, dans le monde d'aujourd'hui, nulle part on ne parvient à faire vivre ensemble, de manière équilibrée et harmonieuse, des populations chrétiennes, musulmanes et juives.

Dans les pays où prévaut l'islam, les adeptes des autres religions sont traités, au mieux comme des citoyens de seconde zone, et trop souvent bien pire encore, comme des parias ou des souffre-douleur ; une situation qui, de surcroît, se détériore au fil des ans plutôt que de s'améliorer.

Dans les pays de tradition chrétienne, ce qui caractérise l'attitude envers l'islam, c'est la méfiance. Pas seulement celle qui est due au terrorisme ; il y a une méfiance plus ancienne, née de la rivalité entre deux religions conquérantes cultivant la même ambition planétaire, qui se sont affrontées depuis des siècles en de multiples croisades et contre-croisades, conquêtes et reconquêtes, colonisations et décolonisations.

Et dans les rapports entre les musulmans et les juifs,

c'est également la méfiance qui prévaut, née cette fois d'une rivalité relativement récente mais extrêmement virulente entre des nationalismes adossés à la religion et qui se trouvent embarqués dans une guerre totale – sur tous les plans, et sur toute l'étendue de la planète.

Cette méfiance profonde entre les adeptes des religions monothéistes, solidement installée dans les esprits et constamment alimentée par l'actualité quotidienne, rend difficile tout échange fécond entre les populations, et toute osmose harmonieuse entre les cultures.

Je ne doute pas qu'il se trouve, sous tous les cieux, d'innombrables personnes de bonne volonté qui veulent sincèrement comprendre l'Autre, coexister avec lui, en surmontant leurs préjugés et leurs craintes. Ce qu'on ne rencontre presque jamais, en revanche, et que je n'ai connu moi-même que dans la cité levantine où je suis né, c'est ce côtoiement permanent et intime entre des populations chrétiennes ou juives imprégnées de civilisation arabe, et des populations musulmanes résolument tournées vers l'Occident, sa culture, son mode de vie, ses valeurs.

Cette variété si rare de coexistence entre les religions et entre les cultures était le fruit d'une sagesse instinctive et pragmatique plutôt que d'une doctrine universaliste explicite. Mais je suis persuadé qu'elle aurait mérité d'avoir un grand rayonnement. Il m'arrive même de penser qu'elle aurait pu agir comme un antidote aux poisons de ce siècle. Ou, du moins, fournir quelques arguments probants à ceux qui voudraient résister aux dérives identitaires. Le fait que les populations qui jouaient ce rôle de catalyseur soient aujourd'hui déracinées et en voie d'extinction n'est pas seulement malheureux pour ces communautés elles-mêmes et pour la diversité des cultures. La désintégration des sociétés plurielles du Levant a causé une dégradation morale irréparable, qui affecte à présent toutes les sociétés humaines, et qui déchaîne sur notre monde des barbaries insoupçonnées.

*

S'agissant plus précisément de la manière dont a été gérée la diversité religieuse dans mon pays natal, il est difficile de chanter ses louanges, vu qu'elle s'est conclue sur un constat d'échec. Mais il ne faudrait pas non plus « jeter l'enfant avec l'eau du bain », comme dit un vieil adage allemand.

Ce que j'appelle ici « l'enfant », c'est l'idée de reconnaître l'existence de toutes les communautés religieuses, même les plus petites, et d'accorder à chacune un statut légal, la liberté du culte, des droits politiques et culturels – en un mot, une dignité. Un principe adopté par le Liban dès sa fondation, et qui le différencie de la plupart des pays du monde.

Cette spécificité a longtemps été perçue comme une curiosité locale, passablement risible et probablement superflue, d'autant que les contrées voisines proclamaient haut et fort que leurs citoyens étaient tous logés à la même enseigne, sans égard pour leur appartenance religieuse ou ethnique. Quiconque osait prétendre qu'il y avait une différence de traitement selon que la personne était sunnite ou chiite, musulmane ou copte, arabe ou kurde, alaouite ou druze, ne faisait que propager, paraît-il, les mensonges des ennemis de la nation ! Ni en Syrie, ni en Irak, ni en Égypte, ni au Soudan, ni dans aucun autre pays arabe, ni d'ailleurs dans les pays non arabes du Moyen-Orient comme Israël, l'Iran ou la Turquie, on ne faisait de distinction, n'est-ce pas, entre les citoyens selon leur religion ou leur ethnie ! Seul le Liban en était encore à ces archaïques subtilités…

Aujourd'hui, l'on sait que ce refus de reconnaître l'existence des différentes communautés religieuses ou linguistiques n'a pas eu pour conséquence de conforter l'égalité entre les citoyens ou d'abolir les discriminations, mais très exactement l'inverse. Partout, il a conduit à marginaliser et à exclure des populations entières qui avaient un rôle à jouer.

En écrivant ces pages, je songe d'abord au Proche-Orient, ma région natale, dont aucun pays ne peut être fier de son bilan en la matière. Mais le déni ne constitue pas pour autant une vertu dans le reste du monde. Sans doute est-il théoriquement possible que, dans certaines sociétés, les mentalités soient suffisamment évoluées pour que le fait même de prendre en compte les différences religieuses ou ethniques soit devenu superflu. À dire vrai, je ne connais pas de telles sociétés, je serais incapable d'en nommer une seule, mais je veux bien admettre qu'il pourrait y en avoir un jour, dans un monde idéal. D'ici là, je demeurerai sceptique envers les pays qui proclament que tous leurs citoyens sont traités de la même manière, et qu'aucune frange de la population n'a besoin d'être mieux protégée que d'autres.

Ce souci de rassurer les communautés les plus inquiètes était présent dès le commencement de l'expérience libanaise, et il demeure, à mes yeux, sa contribution la plus remarquable à la civilisation d'aujourd'hui. Cet « archaïsme » portait en lui, malgré les apparences, les promesses d'une véritable modernité.

Mais il y avait aussi, hélas, tout autour de l'« enfant » prometteur, une « eau du bain » qu'il aurait fallu jeter dès que possible. Je veux parler du confessionnalisme. Ce terme, qui est l'équivalent local de ce qu'on nomme ailleurs le communautarisme, désigne tout un système de quotas, en vertu duquel les postes importants du pays sont répartis à l'avance entre les représentants des communautés.

L'idée d'origine n'était pas aberrante : il fallait éviter que, pour l'élection d'un dirigeant, on retrouvât systématiquement un candidat chrétien opposé à un candidat musulman, chacun étant soutenu par ses propres coreligionnaires. On avait donc décidé de répartir d'office les fonctions entre les différentes communautés. Le président de la République serait obligatoirement un chrétien maronite ; le président du Conseil, un musulman sunnite ; le président du Parlement, un musulman chiite. Au gouvernement, il y aurait toujours une parité exacte entre ministres chrétiens et musulmans. Et chaque communauté aurait ses sièges de députés, qu'on ne pourrait pas lui contester. On s'était également efforcé de respecter certains dosages dans la fonction publique.

Si cet échafaudage était complexe, et même alambiqué, il avait sa raison d'être et il aurait peut-être fini par produire les résultats espérés. Mais l'on avait sous-estimé le caractère insidieux et toxique inhérent au système des quotas. On avait espéré qu'en atténuant la compétition entre les communautés, on allait réduire peu à peu les tensions, et renforcer chez les citoyens le sentiment d'appartenir à une nation plutôt qu'à une confession. Mais c'est l'inverse qui s'est produit. Au lieu de se tourner vers l'État pour obtenir leurs droits, les citoyens trouvaient plus utile de passer par les dirigeants de leurs communautés. Celles-ci sont devenues des satrapies autonomes, gouvernées par des clans ou des milices armées, et qui mettaient leurs propres intérêts au-dessus de l'intérêt national.

À vrai dire, et je l'écris au soir de ma vie avec une infinie tristesse, au lieu de garder l'enfant et de jeter l'eau sale, on a fait l'inverse. On a jeté l'enfant pour ne garder que l'eau sale. Tout ce qui était prometteur s'est rabougri. Tout ce qui était inquiétant et malsain, et qu'on espérait provisoire, s'est installé plus solidement que jamais.

Aujourd'hui, je suis persuadé que l'idéal – pour mon pays natal, mais pas seulement pour lui – ne réside ni dans le système des quotas, qui enferme la société dans une logique perverse, et qui mène tout droit à ce que l'on voulait éviter ; ni dans le déni des différences, qui dissimule les problèmes et contribue souvent à les aggraver ; mais dans l'instauration d'un dispositif de vigilance, au travers duquel on prendrait soin de vérifier en permanence qu'aucun secteur de la population, et même, idéalement, aucun citoyen, ne soit victime d'une discrimination injuste liée à la couleur, à la religion, à l'ethnie, à l'âge, au sexe, etc. Si l'on ne veut pas se résigner à un lent pourrissement du tissu social, et qu'on ne veut pas non plus entrer dans la logique insidieuse du communautarisme, il faut s'efforcer de prendre en compte les nombreuses sensibilités qui existent au sein de la population, de sorte que chaque citoyen se reconnaisse dans la société où il vit, dans son système social et ses institutions. Ce qui exige une attention quotidienne à toutes les tensions et à toutes les distorsions.

Bien sûr, ce n'est pas simple. Comme n'est pas simple, pour les autorités d'un pays moderne, de gérer la santé publique, les transports, ou l'enseignement. Mais quand on prend conscience du fait que ce qui est en jeu, c'est la survie même de la nation, sa prospérité, sa place dans le monde et sa paix civile, on s'en donne les moyens, coûte que coûte.

*

Ai-je raison de donner tant d'importance à ma région natale, à ses particularités sociologiques et aux tragédies qui l'ont endeuillée ?

Ce qui m'y incite, c'est que les turbulences du monde arabo-musulman sont devenues, ces dernières années, la source d'une angoisse majeure pour l'humanité tout entière. À l'évidence, quelque chose de grave et même d'inouï s'est passé dans cette région, qui a contribué à dérégler notre monde, et à le détourner du chemin qui aurait dû être le sien.

C'est un peu comme si nous avions tous subi une secousse mentale de grande magnitude, dont l'épicentre se situait du côté de ma terre natale. Et c'est justement pour cela, parce que je suis né et que j'ai grandi au bord de la « faille », que je m'efforce de comprendre comment la secousse s'est produite, et pourquoi elle s'est propagée dans le reste du monde, avec les conséquences monstrueuses que l'on sait.

J'aurai l'occasion de revenir plus d'une fois sur cette question qui m'obsède, et qui est au cœur de ce livre. Si j'en parle ici, à la fin de ce chapitre consacré aux paradis perdus de mon enfance, c'est parce qu'il m'apparaît aujourd'hui que si ces expériences levantines avaient réussi, si elles avaient pu présenter des modèles viables, les sociétés arabes et musulmanes auraient peut-être évolué différemment. Vers moins d'obscurantisme, moins de fanatisme, moins de détresse, moins de désespoir...

Peut-être même que l'humanité entière aurait suivi une autre voie que celle qui est aujourd'hui la sienne, et qui nous mène tout droit vers le naufrage.

II

Des peuples en perdition

Les empires les plus civilisés seront toujours aussi près de la barbarie, que le fer le plus poli l'est de la rouille ; les nations, comme les métaux, n'ont de brillant que les surfaces.

Antoine DE RIVAROL (1753-1801),
De la philosophie moderne

1

J'ai toujours éprouvé un grand attachement pour la civilisation de mes pères, j'ai espéré la voir renaître, prospérer, s'épanouir, retrouver son rayonnement, sa grandeur, sa générosité, son inventivité, pour qu'elle puisse éblouir une fois encore l'humanité entière. Jamais je n'aurais cru qu'au crépuscule de ma vie, je serais amené à décrire son itinéraire par des mots tels que détresse, désolation, dérive, cataclysme, régression, naufrage, perdition...

Mais comment qualifier autrement ce paysage délabré qui s'étale devant nos yeux ? Ces pays qui se désintègrent, ces communautés millénaires que l'on déracine, ces nobles vestiges que l'on démolit, ces villes éventrées, et puis cet indescriptible déchaînement de sauvagerie – lapidations, décapitations, amputations, crucifixions, lynchages –, le tout dûment filmé et diffusé, pour que le reste de la planète n'en perde pas une image ?

Rarement, dans l'histoire des peuples, la haine de soi a conduit à de telles extrémités. Au lieu de rehausser le prestige de leur civilisation, au lieu de souligner sa contribution à l'aventure humaine dans les mathématiques, l'architecture, la médecine ou la philosophie, au lieu de rappeler à leurs contemporains les grandes heures de Cordoue, de Grenade, de Fès, d'Alexandrie, de Syrte, de Bagdad, de Damas ou d'Alep, les descendants des sublimes bâtisseurs d'hier se montrent indignes de l'héritage dont ils sont les dépositaires. On dirait même qu'ils cherchent délibérément à faire honte aux amoureux de leur civilisation, pour donner raison à ses détracteurs.

Autrefois, ceux qui haïssaient les Arabes étaient suspects de xénophobie et de nostalgie colonialiste ; aujourd'hui, chacun se sent autorisé à les haïr en toute bonne conscience, au nom de la modernité, de la laïcité, de la liberté d'expression ou des droits de la femme.

J'ai parlé d'une « haine de soi »... Cette attitude me paraît relativement récente. Ce qui est ancré chez les miens, et qui m'a constamment irrité dans ma jeunesse, c'est leur manque de confiance en eux-mêmes et en leur capacité à prendre leur destin en main. Une disposition d'esprit qui n'est pas sans rapport avec la haine de soi ; elle est sans doute même le terreau où celle-ci s'implante. Mais elle n'a pas les mêmes retombées destructrices, et elle n'est en aucune manière l'apanage d'un peuple, d'une ethnie ou d'une communauté religieuse. Tous ceux qui ont longtemps subi l'autorité pesante d'un colonisateur, d'un occupant, d'une métropole, connaissent ce sentiment de dépendance, ce besoin d'attendre l'aval d'une instance supérieure, cette crainte de voir ses propres décisions méprisées, sanctionnées, abolies.

L'histoire de mon pays natal est éloquente à cet égard.

Pendant des siècles, les ordres venaient d'Istanbul, de la Sublime Porte, comme on avait l'habitude de dire. De temps à autre, un émir de la Montagne se rebellait, se taillait un fief, tissait des alliances, remportait deux ou trois victoires. Hélas, la Porte finissait toujours par réagir ; le rebelle était vaincu, appréhendé, puis conduit dans les chaînes vers quelque geôle humide. C'est seulement au crépuscule des Ottomans que le Mont-Liban put échapper à leur emprise, lorsqu'il y eut, au-dessus du sultan, des souverains bien plus puissants qui lui dictaient leurs propres exigences.

Mais l'habitude d'obéir à une Sublime Porte n'a pas disparu pour autant. Les ordres qui ne venaient plus d'Istanbul, on les attendait désormais de Washington, de Moscou, de Paris, de Londres ; et aussi de certaines capitales régionales, comme Le Caire, Damas, Téhéran ou Ryad. Et aujourd'hui encore, quand le moment arrive d'élire un nouveau président, par exemple, les citoyens ne se demandent pas lequel des candidats potentiels serait le meilleur pour le pays, mais plutôt sur quel nom vont tomber d'accord les chancelleries ; il est même arrivé plus d'une fois que l'élection soit retardée, bien au-delà du délai constitutionnel, en attendant que les « puissances électrices » parviennent à s'entendre.

Si le cas libanais a ses particularités, il n'en demeure pas moins représentatif d'un état d'esprit que l'on retrouve, à des degrés divers, dans l'ensemble des pays arabes, et qui se caractérise par une attention excessive aux desiderata des Puissances. On estime que celles-ci sont omnipotentes, et qu'il est inutile de leur résister. On considère qu'il y a forcément entre elles une connivence, et qu'il est inutile de jouer sur leurs contradictions. Et on est persuadé qu'elles ont conçu, pour l'avenir des nations, des projets précis qu'on ne peut sûrement pas modifier, et qu'on doit seulement chercher à deviner ; de ce fait, la moindre déclaration d'un conseiller subalterne à la Maison Blanche est scrutée comme si c'était un arrêt du Ciel.

Ce travers dont souffrent les miens résulte d'une longue pratique du découragement et de la résignation. À quoi bon protester, revendiquer, s'enflammer, puisque nous savons que tout cela finira dans un bain de sang ? À quoi bon combattre tel adversaire, ou telle dynastie, puisque les Puissances ne voudront jamais les lâcher ? Et ce sont évidemment les mêmes Puissances qui fixent le moment où une guerre doit commencer, et le moment où elle doit s'arrêter... Quiconque met en doute ces vénérables assertions est perçu comme un naïf ou un ignorant.

*

Bien que risible, et irritante, cette absence de confiance en soi paraît néanmoins bénigne quand on la compare à ce qui émane du monde arabe depuis quelques années, à savoir cette profonde détestation de soi-même et des autres, accompagnée d'une glorification de la mort et des comportements suicidaires.

Il n'est pas facile d'expliquer par les mots une si monstrueuse dérive. Je voudrais simplement dire ici que, pour ceux qui sont nés à la même époque et dans la même région que moi, cette évolution paraît à la fois plus inquiétante et moins surprenante que pour la plupart de nos contemporains.

Quand un homme décide de mettre fin à ses jours, on ne peut que se demander pourquoi il en est arrivé à de telles extrémités. Si les causes ne sont jamais les mêmes d'un suicide à l'autre, il y a d'ordinaire une raison commune : l'absence d'espoir, le sentiment d'avoir perdu, et de manière irrévocable, ce sans quoi la vie ne vaut plus la peine d'être vécue – sa santé, sa fortune, sa dignité, ou la personne aimée.

Je me garderai bien d'ajouter qu'il en est de même pour les peuples. Car, à vrai dire, cela ne se produit jamais. Il arrive, oui, qu'un groupe de personnes – une famille, une escouade, une petite secte – procède à un suicide collectif. Les chroniques anciennes rapportent même qu'en Phénicie, au IVe siècle avant notre ère, les habitants de Sidon, assiégés par le roi de Perse, avaient incendié leur propre ville, préférant périr plutôt que de se livrer à l'envahisseur ; et chacun connaît l'épisode de Massada, où les Sicaires juifs s'étaient donné la mort pour ne pas tomber aux mains des légionnaires de Rome.

Mais le phénomène auquel nous assistons en ce siècle va au-delà. Que des millions de personnes se retrouvent sous l'emprise du désespoir, et qu'un grand nombre d'entre elles en vienne à adopter des attitudes suicidaires, cela ne s'était jamais vu dans l'Histoire, et il me semble que nous n'avons pas encore pris toute la mesure de ce qui est en train de se dérouler sous nos yeux dans l'ensemble du monde arabo-musulman, comme dans tous les pays où vivent ses diasporas.

Je me souviens d'avoir regardé en avril 2011, dans les premières phases du soulèvement en Syrie, une vidéo filmée de nuit où des manifestants scandaient en marchant : « Au paradis nous irons, des martyrs par millions. » Un slogan qu'on allait bientôt entendre dans d'autres pays de la région.

Je contemplais ces hommes avec autant de fascination que d'horreur. Ils faisaient preuve d'un grand courage, surtout qu'en ce temps-là ils étaient sans armes et que les partisans du régime leur tiraient dessus à chaque rassemblement. Mais leurs paroles révélaient des âmes endommagées, et elles mettaient à nu toute la détresse du monde.

Lorsqu'une personne perd l'envie de vivre, c'est à ses proches qu'il revient de lui redonner de l'espoir. Quand ce sont des populations entières qui se laissent envahir par l'envie de détruire et de se détruire, c'est à nous tous, leurs contemporains, leurs semblables, de trouver des remèdes. Sinon par solidarité avec l'Autre, du moins par volonté de survie.

Car le désespoir, à notre époque, se propage par-delà les mers, par-delà les murs, par-delà toutes les frontières concrètes ou mentales, et il n'est pas facile de l'endiguer.

2

Je garde constamment avec moi, inscrites sur un bristol plié, ces paroles d'un poète arabe méconnu, Omayyah Ibn Abissalt al-Andalusi, né à Dénia, en Espagne, au XIᵉ siècle :

Si je suis fait d'argile,
La terre entière est mon pays
Et toutes les créatures sont mes proches.

Il n'est d'ailleurs pas nécessaire de revenir si loin dans le passé pour entrevoir un tout autre visage de la civilisation de mes pères. L'abomination qui s'étale aujourd'hui sous nos yeux est plus récente qu'il n'y paraît. J'ai moi-même connu une réalité bien différente. Mais quand il m'arrive d'en parler de nos jours, je sens monter autour de moi l'agacement, l'impatience et l'incrédulité.

Ce qui ne me surprend pas vraiment. Lorsqu'une calamité s'est effectivement produite, on ne peut jamais démontrer qu'elle était évitable. Même si l'on en est soi-même convaincu. Et je le suis. J'ai passé ma jeunesse dans cette partie du monde, et je ne cesse de l'observer depuis. Le douteux privilège de ma génération est justement d'avoir été témoin de la lente métamorphose du Dr. Jekyll en Mr. Hyde ; je veux dire de la transformation d'un vaste ensemble de peuples qui ne s'écartaient pas beaucoup des normes de leur temps, qui partageaient tous les rêves, toutes les ambitions et toutes les illusions de leurs contemporains, en des foules hagardes, rageuses, menaçantes, désespérées.

Cette « normalité » est aujourd'hui oubliée. Bien des gens ont même de la peine à croire qu'elle ait réellement existé, tant ils ont pris l'habitude de regarder tout ce qui touche aux Arabes et à l'islam comme venant d'une autre galaxie. Aussi n'est-il pas inutile de leur rappeler, par exemple, que la ligne de fracture idéologique que connaissait l'humanité au XXe siècle entre le marxisme et ses adversaires, traversait le monde arabo-musulman comme elle traversait le reste de la planète.

Des pays tels que le Soudan, le Yémen, l'Irak ou la Syrie abritaient d'importantes formations politiques d'obédience communiste. Et la bande de Gaza, avant de devenir le bastion du Hamas, émanation palestinienne des Frères musulmans, a été jusqu'aux années quatre-vingt-dix le fief d'une organisation se réclamant du marxisme-léninisme.

Plus parlant encore est l'exemple de l'Indonésie. De nos jours, chaque fois qu'on la mentionne, on souligne qu'il s'agit de la plus grande nation musulmane du monde. Du temps de mon adolescence, elle était également connue pour une autre particularité, celle d'abriter le plus grand parti communiste de la planète après ceux de la Chine et de l'Union soviétique ; il comptait, à son apogée, près de trois millions de membres, un peu plus que son « concurrent » le plus proche, le Parti communiste italien.

Je ne cherche pas ici à faire l'éloge du mouvement communiste. Il a suscité des espoirs immenses pour l'humanité entière, puis il les a trahis. Il a mobilisé des êtres de valeur, porteurs des idéaux les plus généreux, puis il les a conduits dans une impasse. Sa faillite a été cataclysmique, à la mesure de ses égarements, et elle a facilité le glissement du monde vers le délabrement global auquel nous assistons aujourd'hui.

Si le ton que j'emploie en évoquant ce passé proche dénote malgré tout un peu de nostalgie, c'est parce que la présence, au sein de plusieurs nations à grande majorité musulmane, entre les années vingt et la fin des années quatre-vingt, d'une idéologie résolument laïque telle que le marxisme, m'apparaît aujourd'hui comme un phénomène significatif, révélateur, et dont on peut légitimement regretter la disparition.

Au-delà de l'aspect purement politique, il faut se rappeler l'atmosphère intellectuelle et culturelle qui régnait pendant une bonne partie du XXe siècle, et que j'ai moi-même connue à Beyrouth. Je songe, par exemple, aux débats que pouvaient avoir les étudiants et les étudiantes à l'université de Khartoum, dans les jardins de Mossoul ou dans les cafés d'Alep ; aux livres de Gramsci que ces jeunes avaient pris l'habitude de lire, aux pièces de Bertolt Brecht qu'ils jouaient ou applaudissaient, aux poèmes de

Nazim Hikmet ou de Paul Éluard, aux chants révolutionnaires pour lesquels leurs cœurs battaient, aux événements qui les faisaient réagir – la guerre du Vietnam, le meurtre de Lumumba, l'emprisonnement de Mandela, le vol spatial de Gagarine ou la mort du « Che ». Et plus que tout cela je songe, avec une profonde nostalgie, au sourire des étudiantes afghanes ou yéménites qui irradie encore sur les photos des années soixante. Puis je compare avec l'univers exigu, sombre, chagrin et rabougri où se trouvent enfermés ceux et celles qui fréquentent aujourd'hui les mêmes lieux, les mêmes rues, les mêmes amphithéâtres.

Ma tristesse s'explique par quelques autres raisons aussi, dont je parle peu, d'ordinaire, même si j'y pense souvent.

Lorsque je repasse en mémoire l'histoire de ma région natale au cours des cent dernières années, je constate que les mouvements politiques d'inspiration marxiste ont été finalement les seuls où des musulmans, des juifs et des chrétiens de toutes confessions avaient pu se retrouver pendant quelque temps côte à côte. Il est vrai que, dans la plupart des pays, l'impact de ces formations fut limité. Mais il y eut aussi quelques exceptions remarquables.

Je pense notamment au cas de ce personnage qu'on appelait « le camarade Fahd ». Né à Bagdad en 1901 au sein d'une famille chrétienne assyrienne, il avait fait ses études dans une école de missionnaires américains avant de découvrir le marxisme et de s'engager dans les luttes sociales. Il avait un tel rayonnement personnel et de telles capacités d'organisateur, qu'il devint non seulement le chef incontesté du jeune Parti communiste irakien, mais également l'une des figures les plus populaires du pays, toutes communautés confondues. Les autorités décidèrent de l'embastiller. Mais il parvenait encore à organiser, du fond de sa prison, des grèves générales et des manifestations de masse. Alors on résolut de s'en débarrasser une fois pour toutes. Condamné à mort pour « contacts avec des pays étrangers », « menées subversives » et « propagande communiste au sein des forces armées », il fut pendu sur la place publique en février 1949.

La nation entière fut plongée dans le deuil, dit-on. Ses camarades devinrent inconsolables, et des milliers de militants firent serment de le venger. On raconte même que le jour où la monarchie irakienne fut renversée, neuf ans plus tard, les manifestants se saisirent des dignitaires qu'ils jugeaient responsables de sa mort, et les traînèrent du palais royal jusqu'à l'endroit où « le camarade Fahd » avait été supplicié, pour leur faire subir le même sort.

Si j'ai raconté cette histoire, c'est juste pour signaler qu'aujourd'hui, il n'existe plus dans ce pays, ni dans le reste de la région, un seul mouvement politique qui puisse élever à sa tête une personne appartenant à une petite communauté comme celle des chrétiens assyriens. Pour qu'un Irakien puisse jouer un rôle, il faut nécessairement qu'il soit issu de l'une des trois principales composantes de la nation – les chiites, les sunnites, ou les Kurdes. Il n'y a, d'ailleurs, plus un seul parti qui soit implanté chez les trois à la fois...

S'agissant des chrétiens assyriens ou assyro-chaldéens,

ils ont dû quitter en masse cette Mésopotamie où vivaient leurs ancêtres depuis des millénaires, pour s'exiler aux États-Unis, au Canada, en Suède et ailleurs. Déracinés, hier même, sous nos yeux, et dans l'indifférence larmoyante qui caractérise ce siècle.

*

Le cas du « camarade Fahd » m'amène à évoquer une question qui me préoccupe depuis longtemps, qui a pris de l'importance, ces dernières années, avec la montée du communautarisme, et dont on ne parle pas suffisamment.

Je me suis souvent demandé s'il n'y avait pas eu, dans l'histoire du communisme, dès l'origine, un énorme sous-entendu, propagé de manière consciente ou inconsciente par les fondateurs, par les adeptes, comme par les détracteurs, et qu'on pourrait formuler comme suit : ce n'est pas seulement aux *prolétaires* que Marx a promis, en quelque sorte, le salut, mais également aux *minoritaires*, à tous ceux qui ne pouvaient s'identifier pleinement à la nation qui était censée être la leur. C'est ainsi, en tout cas, que beaucoup de gens ont compris son message.

Ce n'est pas un hasard si le chef historique du Parti communiste irakien était un chrétien, et si le chef historique du Parti communiste syrien était un Kurde. Ce n'est pas un hasard si tant de juifs de Russie, d'Allemagne, de Pologne, de Roumanie et d'ailleurs ont adhéré au mouvement avec enthousiasme. Et ce n'est pas non plus un hasard si, à la création de l'État d'Israël, les Arabes restés sur place se sont rangés en masse sous l'étendard

98

du Parti communiste : c'était la seule formation qui leur permettait de participer à la vie politique au même titre que leurs concitoyens juifs, sans qu'ils aient le sentiment de trahir leur identité arabe. Dans bien des pays, ceux qui n'appartiennent pas à la religion dominante ou à l'ethnie majoritaire se retrouvent généralement exclus, ou tout au moins marginalisés ; s'ils tiennent à s'engager dans l'action politique, il leur faut rejoindre un espace où ils pourraient se sentir à armes égales avec leurs compatriotes issus des plus grandes communautés.

Au Levant, comme en Europe orientale et dans bien d'autres régions du monde, les mouvements d'inspiration marxiste ont longtemps joué ce rôle. On y rencontrait des hommes – et aussi des femmes – de diverses confessions et de diverses origines, tous séduits par une doctrine qui mettait l'accent sur l'appartenance de classe et occultait de ce fait le handicap, pour ne pas dire la malédiction, qu'était pour eux leur statut de minoritaires. Transcender leurs appartenances étroites en se projetant vers une identité vaste, embrassant « les prolétaires de tous les pays », c'est-à-dire l'humanité entière, que pouvaient-ils espérer de mieux ? Indépendamment des idées politiques qui l'accompagnaient, cette disposition d'esprit représentait indéniablement un progrès, et pas seulement pour les militants eux-mêmes ; en s'élevant au-dessus de leur propre communauté, ils se libéraient de la pesante logique communautaire, et leur société entière s'en libérait un peu aussi.

Il va de soi que la plupart d'entre eux auraient été outrés si on leur avait expliqué en ces termes les raisons souterraines de leur engagement. De leur point de vue, ils étaient simplement en révolte contre l'oppression, contre l'aliénation, contre l'exploitation de l'homme par l'homme. Ils parlaient volontiers de leur ralliement à la classe ouvrière, ou de leur conscience de classe ; certains d'entre eux se disaient même, non sans fierté, « traîtres » à la bourgeoisie dont ils étaient issus. Ils auraient difficilement admis que leur appartenance religieuse ou ethnique était pour quelque chose dans leur combat.

J'ai fait partie de cette cohorte, brièvement. Si brièvement qu'il serait présomptueux d'y consacrer plus de quelques lignes. J'ai rejoint le mouvement à dix-huit ans et demi, je l'ai quitté à dix-neuf ans et demi. Très vite, j'ai compris que je n'avais pas le tempérament d'un militant, ni d'un adepte. Je suis donc parti sur la pointe des pieds, sans éclat, sans état d'âme, sans acrimonie. Sans aucunement rompre avec les amis qui y étaient restés, mais en ne conservant de leurs croyances que ce qui rejoignait déjà mes plus anciennes convictions, à savoir la foi en un monde où aucun être humain ne serait victime de discrimination à cause de sa couleur, sa religion, sa langue, sa nationalité, son identité sexuelle ou son origine sociale.

Peut-être que de telles convictions – universalistes, ou tout simplement conciliatrices – se sont ancrées en moi du fait de mon appartenance à un petit pays et à une minuscule communauté ; ceux qui ont un profil comme le mien s'épanouissent dans certains environnements, et périclitent dans d'autres. Je me garderai cependant d'en conclure qu'une telle disposition d'esprit vient naturellement aux minoritaires. La réaction la plus spontanée chez eux, c'est d'affirmer leur particularisme et de s'y enfermer plutôt que de chercher à le transcender. La chose a toujours été vraie, et elle l'est encore plus en ce siècle.

J'ai parlé de nostalgie et de regrets. Ces notions imprécises méritent d'être scrutées d'un peu plus près. Est-ce que les pays arabes ou musulmans auraient mieux évolué si les partis communistes y avaient joué un rôle plus important ? Je ne le crois pas, je suis même persuadé du contraire. À voir comment ces mouvements se sont comportés chaque fois qu'ils se sont retrouvés au pouvoir, il est raisonnable de supposer que l'on aurait assisté à des dérives monstrueuses – des purges, des massacres, et l'émergence d'une kyrielle de petits Staline – plutôt qu'à des miracles. De ce point de vue, il n'y a aucun regret ni aucune nostalgie à avoir.

Ce que l'on est en droit de déplorer, en revanche, c'est la disparition du seul espace politique qui permettait à chaque citoyen, quelles que soient ses appartenances ethniques, religieuses ou autres, de jouer un rôle de premier plan au sein de sa nation.

Je me serais aisément résigné si cet espace libérateur ménagé par le marxisme et situé à la gauche de l'échiquier politique avait été remplacé par un espace comparable situé à droite. Mais ce n'est pas ce qui est arrivé. Cet espace libérateur a tout simplement disparu. Les minoritaires sont redevenus des parias, et des victimes en sursis. Ce qui constitue, à mes yeux, une perte irréparable, et même une régression calamiteuse. Aussi bien pour ma région natale que pour le reste du monde.

Faisant moi-même partie de ces minoritaires, je donne peut-être l'impression de plaider pour ma propre paroisse. Mais c'est autre chose qui me préoccupe. Tout au long de l'histoire humaine, le sort des minoritaires a été un indice révélateur d'un problème plus vaste, qui affecte tous les citoyens d'un pays, et tous les aspects de sa vie sociale et politique. L'attitude des nazis envers les juifs dans les années trente et quarante s'est révélée meurtrière et destructrice pour l'ensemble de la nation allemande, et au-delà. Dans une société où les minoritaires subissent la discrimination et la persécution, tout se corrompt et se pervertit. Les concepts se vident de leur sens. Parler encore d'élections, de débats, de libertés académiques ou d'État de droit, devient abusif et trompeur.

Quand on ne peut plus exercer ses prérogatives de citoyen sans se référer à ses appartenances ethniques ou religieuses, c'est que la nation entière s'est engagée sur la voie de la barbarie. Tant qu'une personne appartenant à une minuscule communauté peut jouer un rôle à l'échelle du pays tout entier, cela signifie que la qualité d'être humain et de citoyen passe avant tout le reste. Quand cela devient impossible, c'est que l'idée de citoyenneté, et aussi l'idée d'humanité, sont en panne. La chose est aujourd'hui vraie dans toutes les contrées du Levant, sans aucune exception. Et elle est de plus en plus vraie, à des degrés divers, dans d'autres parties du monde.

Même dans les pays à grande tradition démocratique, il devient difficile d'exercer son rôle de citoyen sans se référer à ses origines ethniques, à sa confession, ou à ses appartenances particulières.

Le philosophe américain William James s'est posé un jour, dans une conférence prononcée devant des étudiants, une question pertinente : puisque les temps de guerre mobilisent les énergies et tirent de tout être humain ce qu'il peut offrir de meilleur – la camaraderie, l'entraide, la ferveur, le don de soi –, ne faudrait-il pas souhaiter, comme le font certains, « une bonne guerre » pour en finir avec l'indolence et le laisser-aller ? Sa réponse, c'était qu'il fallait inventer, au sein de nos sociétés, « un équivalent moral de la guerre », c'est-à-dire des combats pacifiques qui feraient appel aux mêmes vertus, qui mobiliseraient autant d'énergies, sans passer pour autant par les atrocités que provoquent les guerres. Je suis tenté de faire ici une observation similaire : peut-être avons-nous besoin, en ce siècle, d'un « équivalent moral » de l'internationalisme prolétarien, sans les monstruosités que celui-ci a charriées. Ne serait-il pas souhaitable, en effet, de voir émerger, face à tous les déchaînements identitaires, un vaste mouvement capable d'opérer une mobilisation massive de nos contemporains autour de valeurs universelles, et par-delà toutes les frontières politiques, religieuses, ethniques ou culturelles ?

Dans ce domaine aussi, ma région natale aurait pu donner l'exemple et propager la lumière à travers la planète, mais elle a fini, hélas, par propager les ténèbres.

3

Ce petit détour par l'histoire ambivalente du marxisme visait surtout à rappeler la « normalité » du monde arabe, en soulignant que celui-ci avait longtemps caressé les mêmes rêves et les mêmes illusions que le reste de la planète. Je me devais d'insister sur ce point, vu que l'idée qui prévaut de nos jours est justement celle d'une « étrangeté » foncière de ce monde. On le croit porteur de « différences irréductibles », et depuis la nuit des temps. On en arrive même à le considérer, consciemment ou pas, comme un univers à part, habité par une humanité d'un autre type.

Cette attitude est largement partagée. Par tous ceux, de plus en plus nombreux, qui éprouvent de la méfiance ou de l'hostilité envers le monde arabo-musulman et les populations qui en sont issues ; par les plus militants des islamistes, dont les paroles et les actes visent à accréditer cette perception ; et aussi par un large éventail de personnes de toutes origines et de toutes croyances, qui s'émeuvent de certains agissements, qui constatent des différences avec leurs propres comportements, et qui en tirent, en toute bonne foi, les conclusions qui leur semblent évidentes.

Si de telles attitudes m'inquiètent, c'est parce que la croyance en des « différences irréductibles » nous engage, sans que nous le voulions, sur une voie périlleuse et perverse, qui conduit à abolir la notion d'universalité, et même celle d'humanité. Et c'est pour démentir cette croyance que je rappelle inlassablement combien le monde arabe que j'ai connu dans ma jeunesse partageait les normes de l'époque. Il avait, pour l'essentiel, les mêmes préoccupations, les mêmes débats, les mêmes rires. Et il aurait parfaitement pu évoluer d'une tout autre manière que celle qui s'étale aujourd'hui devant nos yeux.

Ceux qui ont comme moi l'habitude de flâner sur la Toile peuvent y trouver une étonnante séquence filmée en Égypte au milieu des années soixante. Elle est en arabe, mais des internautes ont pris soin de la soustitrer dans d'autres langues, notamment en français et en anglais. On y voit Nasser dans un amphithéâtre, ou dans une salle de congrès, expliquant à un public nombreux ses griefs à l'endroit des Frères musulmans. L'intérêt du documentaire est autant dans les propos du raïs que dans les réactions de son auditoire.

Le président raconte qu'après le renversement de la monarchie égyptienne, les Frères avaient tenté de placer la jeune révolution sous leur tutelle, et que lui-même avait rencontré leur guide suprême pour essayer de trouver avec lui un terrain d'entente. « Vous savez ce qu'il m'a demandé ? Que j'impose le voile en Égypte, et que toute femme qui sort dans la rue se couvre la tête ! »

Un grand éclat de rire secoue la salle. Une voix s'élève

dans l'assistance pour suggérer que le chef des Frères porte lui-même le voile. Les rires reprennent de plus belle. Nasser poursuit. « Je lui ai dit : "Tu veux nous ramener au temps du calife al-Hakem, qui avait ordonné aux gens de ne sortir dans la rue que la nuit, et de s'enfermer chez eux dans la journée ?" Mais le guide des Frères a insisté : "Tu es le président, tu devrais ordonner à toutes les femmes de se couvrir." Je lui ai répondu : "Tu as une fille qui étudie à la faculté de médecine, et elle n'est pas voilée. Si toi, tu ne parviens pas à faire porter le voile à une seule femme, qui est ta propre fille, tu voudrais que moi je descende dans les rues pour imposer le voile à dix millions d'Égyptiennes ?" »

Le raïs est si amusé par ce qu'il relate qu'il a du mal à reprendre son discours. Il avale une gorgée d'eau. Et quand il parvient à surmonter son fou rire, il se met à énumérer les demandes formulées, selon lui, par le dirigeant islamiste : les femmes ne doivent plus travailler, les cinémas et les théâtres doivent fermer, etc. « En d'autres termes, il faut que l'obscurité règne partout ! » De nouveau, les rires...

Les Arabes qui regardent ces images un demi-siècle plus tard n'ont plus aucune envie de rire. Ils ont plutôt envie de pleurer. Parce qu'un tel discours, de la part d'un de leurs dirigeants, serait aujourd'hui impensable. Traiter par la plaisanterie la question du voile, alors que tant de gens la prennent au tragique ? Il y a fort à parier, d'ailleurs, que les femmes qui étaient présentes dans la salle, si elles sont encore de ce monde, et aussi les filles et les petites-filles des hommes de l'assistance, sont toutes, à présent, sagement voilées. Parfois de leur propre volonté, et parfois parce que la pression sociale ne leur laisse aucun choix.

Ai-je besoin de rappeler que le dirigeant qui parlait ainsi n'était pas un politicien parmi d'autres, que ce n'était pas le chef de file d'une faction laïque radicale, mais qu'il était – et de très loin ! – le dirigeant le plus populaire du monde arabe et de l'ensemble du monde musulman ? Ses photos étaient partout, à Beyrouth comme au Caire, et aussi à Alger, à Nouakchott, à Aden, à Bagdad, et jusqu'à Karachi ou Kuala Lumpur. On attendait de lui qu'il redonne à ses compatriotes et à ses coreligionnaires leur dignité. Depuis sa disparition, personne n'a réussi à prendre sa place dans les cœurs.

Au moment d'écrire ces pages, j'ai consulté ma mère pour lui faire préciser un certain nombre de détails, et elle m'a reparlé encore de l'Égypte d'avant, de la plage d'Alexandrie, des balades à cheval, et de « notre » maison d'Héliopolis. Dans ses souvenirs, Nasser n'a évidemment pas le beau rôle. Si je l'évoque pour ma part avec une certaine nostalgie, c'est parce que je compare son époque non pas à celle qui l'a précédée, et que je n'ai pas directement connue, mais à celle qui l'a suivie – la nôtre. Et là, le contraste est saisissant. Le raïs avait beau être un dictateur militaire, un nationaliste passablement xénophobe, et pour les miens un spoliateur, il n'en reste pas moins que, de son temps, la nation arabe était respectée.

Elle avait un projet, elle n'était pas encore dans la détresse ni dans la haine de soi.

*

Je viens de citer l'exemple du voile ; en voici un deuxième, qui concerne les deux grandes branches de l'islam, les sunnites et les chiites.

Leurs rapports se caractérisent de nos jours par une extrême violence. Violence sanguinaire, qui se traduit par des massacres aveugles, visant souvent des mosquées à l'heure de la prière ou des cortèges de pèlerins. Et violence verbale inouïe ; il suffit de faire un tour sur Internet pour découvrir en quels termes insultants et obscènes on parle les uns des autres. Une violence que tout le monde décrit comme « séculaire ». Or, Nasser, qui était lui-même sunnite comme presque tous les musulmans d'Égypte, était marié à la fille d'un commerçant iranien établi à Alexandrie. Son épouse, née Tahia Kazem, était de confession chiite, mais à l'époque, personne ne s'en souciait, ni les admirateurs du raïs, ni ses détracteurs. La vieille querelle entre les deux principales branches de l'islam semblait appartenir au passé.

Pour ce qui est des mariages entre chiites et sunnites, ils étaient devenus très fréquents dans le Liban de ma jeunesse. Et ils se multipliaient même entre musulmans et chrétiens. Sans doute continuaient-ils à susciter des réticences dans divers milieux, mais de plus en plus de familles les acceptaient sans rechigner, comme une évolution normale dans un monde qui bouge.

Je me souviens encore de cette dame, qui appartenait à la haute bourgeoisie musulmane, et qui était venue un jour me voir. Je n'avais que vingt-cinq ans, mais je devais lui apparaître comme un vieux sage. Sa fille fréquentait l'un de mes amis, un universitaire chrétien, et ils avaient formé le projet de se marier. « Ma démarche est inhabituelle, je le sais, m'avait-elle dit, mais je voudrais juste que vous me disiez, en confidence, si ce jeune homme vous semble sérieux, et si vous croyez qu'il la rendra heureuse. Ce n'est pas facile pour nous de donner la main de notre fille unique à quelqu'un d'une autre religion, cela va créer des tensions, et je voudrais être sûre que ce jeune homme en vaut la peine, et que je ne regretterai pas demain d'avoir franchi ce pas. »

Ses propos m'avaient profondément touché. Aujourd'hui, ils m'apparaissent emblématiques de cette civilisation levantine que j'ai tant aimée.

Les exemples que je viens de donner signifient-ils que le monde arabe marchait tranquillement vers la modernité, vers la laïcité, et vers la paix civile, quand « les accidents de l'Histoire » sont venus le détourner de sa route, pour le pousser dans une tout autre direction ? Les choses ne sont pas aussi simples. La civilisation de mes pères a connu, depuis plusieurs siècles, des déficiences, des incohérences, des infirmités, qui l'ont empêchée de répondre aux défis auxquels elle a été confrontée ; on pourrait même dire, pour rester dans le cadre de la métaphore évoquée plus haut, qu'il y a toujours eu, chez le Dr. Jekyll, le risque de dégénérer en Mr. Hyde.

Mais la chose est vraie de tous les êtres, de toutes les nations, de toutes les civilisations : dans certaines circonstances, la créature monstrueuse prend le dessus, et l'honorable docteur s'efface. Ne s'est-on pas demandé, au siècle dernier, comment le pays de Goethe, de Beethoven et de Lessing avait pu un jour s'identifier à Goering, à Himmler et à Goebbels ? Fort heureusement, l'Allemagne a su tourner la page, pour revenir à ses vrais héros, à ses vraies valeurs, et elle offre aujourd'hui à l'Europe comme au reste du monde le modèle d'une démocratie adulte. Oserai-je espérer qu'un jour, les peuples qui ont donné naissance à Averroès, à Avicenne, à Ibn Arabi, à Khayyâm et à l'émir Abdelkader, sauront eux aussi redonner à leur civilisation des moments de vraie grandeur ?

4

Depuis des années, je contemple le monde arabe avec angoisse, en m'efforçant de comprendre comment il a pu se détériorer de la sorte. Les opinions que l'on entend à ce sujet sont innombrables, et contradictoires. Les unes incriminent surtout le radicalisme violent, le jihadisme aveugle, et plus généralement les rapports ambigus, dans l'islam, entre religion et politique ; quand d'autres accusent plutôt le colonialisme, l'avidité et l'insensibilité de l'Occident, l'hégémonisme des États-Unis, ou l'occupation, par Israël, des territoires palestiniens. Si tous ces facteurs ont certainement joué un rôle, aucun n'explique à lui seul la dérive à laquelle nous assistons.

Il y a néanmoins, à mes yeux, un événement qui se détache de tout le reste, et qui marque un tournant décisif dans l'histoire de cette région du monde, et au-delà ; un affrontement militaire qui s'est déroulé sur une période incroyablement brève, et dont les répercussions vont pourtant se révéler durables : la guerre israélo-arabe de juin 1967.

De quelle manière pourrais-je décrire son impact ? La comparaison qui me vient spontanément à l'esprit, c'est avec Pearl Harbor – mais seulement pour le côté fulgurant de l'attaque aérienne japonaise, et pour l'effet de surprise, pas pour les conséquences militaires. Car si la flotte des États-Unis avait subi, au matin du 7 décembre 1941, des pertes sévères en matériel et en hommes, le pays avait conservé l'essentiel de ses capacités défensives et offensives. Alors qu'au matin du 5 juin 1967, les flottes aériennes de l'Égypte, de la Syrie et de la Jordanie furent pratiquement anéanties ; puis leurs armées de terre durent battre en retraite, cédant aux forces israéliennes des territoires importants : la vieille ville de Jérusalem, la Cisjordanie, les hauteurs du Golan, la bande de Gaza et la presqu'île du Sinaï.

De ce point de vue, il serait plus adéquat de comparer cette défaite arabe à la débâcle de la France en juin 1940. Son armée, pourtant auréolée encore du prestige d'avoir gagné la Première Guerre mondiale vingt-deux ans plus tôt, s'était effondrée très vite face à l'offensive allemande. Les routes s'étaient emplies de réfugiés, Paris avait été occupé, puis le pays tout entier. Le sentiment qu'avait eu alors la nation d'avoir été assommée, humiliée, violée, n'avait été effacé qu'à la Libération, quatre ans plus tard.

Et c'est là, justement, la grande différence entre 1967 et ces deux épisodes de la Seconde Guerre mondiale. Contrairement aux Américains et aux Français, les Arabes sont restés sur cette défaite, et ils n'ont jamais retrouvé leur confiance en eux-mêmes.

Au moment où j'écris ces lignes, plus d'un demi-siècle s'est déjà écoulé, et les choses ne se sont pas améliorées. On pourrait même dire qu'elles ne cessent de s'aggraver.

Plutôt que de guérir et de cicatriser, les blessures se sont infectées, et c'est le monde entier qui en pâtit.

Le grand vaincu de cette guerre fut Nasser. Jusque-là, il jouissait d'une popularité immense dans le monde arabe comme dans l'ensemble du monde musulman, au point que ses adversaires, et en particulier les mouvements isla-mistes, osaient rarement s'en prendre ouvertement à lui. De plus, il était jeune. Il avait pris le pouvoir à trente-quatre ans ; à trente-huit ans, il était déjà au sommet de son rayonnement international ; et en 1967, il avait tout juste quarante-neuf ans, on le croyait solidement installé aux commandes, et pour longtemps.

J'avais dix-huit ans lorsque la guerre a éclaté. Depuis plusieurs semaines, chacun savait qu'elle était imminente, et l'on spéculait abondamment sur son issue probable. Les plus enthousiastes, dans le monde arabe, étaient per-suadés que les forces égyptiennes, puissamment équipées par les Soviétiques, ne feraient qu'une bouchée de l'armée d'Israël ; à l'appui de leurs prédictions, ils citaient des déclarations angoissées en provenance de l'État juif, affir-mant que celui-ci était en danger de mort. Les plus réa-listes croyaient à un conflit long et pénible, où les Arabes finiraient sans doute par avoir le dessus, ne serait-ce que par la vertu du nombre.

Personne, en tout cas, hormis une poignée d'officiers de l'état-major israélien, n'avait imaginé le scénario qui allait effectivement se dérouler : une attaque aérienne massive et fulgurante qui, en quelques heures, détrui-rait au sol les armées de l'air égyptienne, syrienne et jordanienne, rendant impossible une contre-offensive arabe ; puis, le lendemain, une décision absurde du commandement égyptien, qui ordonna aux troupes terrestres de se retirer du Sinaï, accélérant la débâcle.

En moins d'une semaine, les combats cessèrent. Les Israéliens et les Occidentaux nommeront aussitôt ce conflit « la guerre des Six Jours » – une appellation que les Arabes ont toujours trouvée insultante ; ils préféreront parler de « la guerre de Juin », ou de « Soixante-sept », ou encore de la « Naksa », un terme employé par Nasser lui-même, au lendemain de la défaite, pour minimiser l'importance de ce qui venait de se passer ; le mot signifie « revers », ou « échec provisoire » ; on l'emploie, d'ordinaire, à propos d'un accident de santé dont on estime que le malade finira par se rétablir.

Ledit « malade » ne s'est plus rétabli. Les Arabes n'ont jamais pu prendre leur revanche, jamais pu dépasser le traumatisme de la défaite ; et Nasser n'a jamais plus retrouvé sa stature internationale. Il allait mourir, trois ans plus tard, à cinquante-deux ans. Ses successeurs à la tête de l'Égypte – Sadate, Moubarak, et les autres – n'eurent pas la même ambition que lui, ni la même vision du monde, ni la même aura, ni l'affection des masses. Et ceux qui prétendirent le remplacer dans son rôle de héros des Arabes, tels Saddam Hussein ou Mouammar Kadhafi, furent tous perçus comme des mystificateurs.

Ce qui devait se révéler bien plus significatif encore, c'est que le nationalisme arabe, qui avait été jusque-là l'idéologie dominante dans cette région du globe, venait de perdre, du jour au lendemain, toute sa crédibilité. Au début, ce fut le marxisme-léninisme qui en bénéficia. Mais dans certains milieux seulement, et pour un temps assez court, car le communisme allait bientôt entrer à son tour dans une zone de turbulences, et perdre, lui aussi, son attrait.

À terme, le vrai bénéficiaire de la défaite du raïs sera l'islamisme politique. C'est lui qui prendra la place du nationalisme en tant qu'idéologie dominante. Il remplacera le nassérisme et ses avatars comme porte-drapeau des aspirations patriotiques, et supplantera les mouvements d'inspiration marxiste comme porte-parole des opprimés.

*

En voyant dans cette guerre brève l'origine de la dérive qu'a connue ma région natale dans les dernières décennies, ne serais-je pas en train de tomber dans ce travers si commun, si banal, si humain, qui consiste à donner une importance excessive aux événements dont on a été témoin ? Pour de nombreux connaisseurs du monde arabe, la descente aux enfers n'a pas commencé avec la défaite de 1967, mais avec celle de 1948, qui a suivi de près la naissance de l'État d'Israël ; et même, à en croire certains, trente ans plus tôt, quand, à la fin de la Première Guerre mondiale, les Puissances victorieuses ont renoncé à créer le royaume arabe que les Britanniques avaient promis au chérif de La Mecque par l'entremise du colonel Lawrence.

Chacune de ces approches comporte sa part de

117

vérité. Il est certain que la frustration des Arabes remonte loin, très loin, à plusieurs générations, et même à des siècles. Néanmoins, si l'on souhaite raconter la genèse du désespoir suicidaire et meurtrier d'aujourd'hui, la date importante est 1967. Jusque-là, les Arabes étaient en colère, mais ils espéraient encore. En Nasser, notamment. C'est après cette date qu'ils ont cessé d'espérer.

Je serais presque tenté d'écrire noir sur blanc : c'est le lundi 5 juin 1967 qu'est né le désespoir arabe.

Cette journée fatidique devait être, pour le jeune étudiant que j'étais, celle où commençaient les examens de fin d'année à l'École des Lettres de Beyrouth, où je m'étais inscrit en sociologie. J'étais entré dans la salle à huit heures du matin, non sans avoir écouté les dernières nouvelles ; la radio disait que les efforts diplomatiques allaient bon train pour éviter un conflit armé. À la sortie, un peu avant midi, un ami proche se précipita vers moi en brandissant la première page d'un quotidien, dont l'édition spéciale annonçait en très gros caractères que la guerre avait éclaté, et que l'aviation israélienne avait été anéantie.

Oui, israélienne. Tous les journaux disaient la même chose, sur la foi des communiqués militaires en provenance du Caire et de Damas. Les flottes aériennes arabes avaient déjà été détruites au sol, mais on ne le savait pas, et on disait exactement l'inverse. Les radios arabes, que des haut-parleurs relayaient à tue-tête, annonçaient qu'Israël était « tombé dans le piège », et citaient le nombre des avions abattus. Plus tard, les étudiants allaient en pleurer de honte et de rage ; sur le moment, ils étaient tous en train de calculer combien d'appareils possédaient encore les Israéliens. Hier, ils en avaient trois cents, expliquait quelqu'un, deux cent cinquante-sept ont été détruits, il ne leur en reste qu'une quarantaine, qui ne vont pas tarder à subir le même sort.

De retour chez moi, je répétai les mêmes « informations » devant mon père. Il hocha la tête sans exprimer aucune opinion, ni aucun sentiment. J'étais un peu déçu. En tant que journaliste, il suivait l'actualité heure par heure, avec passion, il la commentait souvent dans ses chroniques, comme à la table familiale, et très souvent aussi dans des apartés avec moi. Je ne comprenais pas qu'il montrât une telle placidité face à un événement aussi considérable.

C'est seulement en début de soirée qu'il revint me parler des avions. Il s'assit près de moi, sortit de sa poche son paquet de cigarettes locales, un paquet en carton blanc, sur le dos duquel il avait l'habitude de prendre des notes. Il me le tendit en disant simplement : « Voici les vrais chiffres ! » Et il m'expliqua, en prenant grand soin de ne pas me heurter, que l'issue des combats était l'inverse de ce que disaient les radios arabes. Il ajouta qu'il faudrait être extrêmement prudent, dans les prochains jours. « Quand les gens finiront par savoir ce qui s'est réellement passé, ils seront fous de rage, et ils voudront tout casser. »

De fait, des émeutes éclatèrent dès le lendemain à Beyrouth, à Tripoli, comme dans plusieurs autres villes de la région. On s'attaqua à tout ce qui était perçu comme ennemi de Nasser et de la nation arabe – les compagnies anglaises, les missions américaines et aussi les communautés juives, même celles qui n'avaient jamais été prises auparavant pour cible, comme à Tunis.

Le vendredi, le raïs prononça à la radio un discours solennel et poignant, où il reconnut sa défaite et annonça qu'il démissionnait. Aussitôt, des millions de personnes descendirent dans la rue, en Égypte, au Liban et ailleurs, pour lui demander de rester aux commandes. Le lendemain, samedi, il revint sur sa décision.

La plupart des historiens estiment que sa démission était une manœuvre habile pour que les masses lui renouvellent leur confiance, et qu'il retrouve sa légitimité. C'est probablement vrai. Il ne fait pas de doute que lesdites masses tenaient à lui, et que son maintien à la tête de son pays les avait un peu réconfortées.

Même moi, qui avais mille raisons de ne pas aimer le grand homme, j'étais dévasté par sa démission comme je l'ai rarement été dans ma vie. Jamais il n'avait été pour moi une figure paternelle, mais à présent je me sentais orphelin. J'avais l'impression d'être au milieu d'un torrent, et il était la seule branche à laquelle s'accrocher. J'imagine que c'est ainsi que les peuples vivent leurs heures de désarroi.

Un incident demeure dans ma mémoire. Cette année-là, la première de ma vie universitaire, je m'étais inscrit dans deux établissements différents. À l'École des

Lettres, donc, pour la sociologie – mais la copie sur laquelle j'avais planché dans la matinée du 5 juin ne sera jamais corrigée, et les examens seront reportés. Et à l'université Saint-Joseph pour les sciences économiques ; là, les examens avaient eu lieu quelques semaines avant la guerre, et les résultats devaient être affichés le vendredi 9 juin.

Hasard des dates, ce jour-là fut celui de la démission de Nasser. J'avais donc écouté son discours, diffusé du Caire par « La voix des Arabes », et j'avais été tellement perturbé – par ce qu'il avait dit, par son départ, par la débâcle, par tout ce qui se passait – que je ne pensais plus à mes examens. C'est quand ma mère me demanda si j'avais déjà eu mes résultats que je décidai d'aller voir.

Je me suis rendu à l'université. Les listes étaient effectivement affichées sur des panneaux, à l'intérieur. Y figurait le nom de chaque étudiant, suivi de son résultat. Je me suis approché. J'ai regardé. Puis je suis reparti.

J'étais déjà à l'extérieur, en route vers la maison, lorsque j'ai éprouvé un sentiment des plus étranges : je ne parvenais plus à me rappeler si j'avais réussi ou échoué. J'ai dû rebrousser chemin pour regarder à nouveau.

Jusqu'à ce jour, je n'ai plus jamais connu une telle confusion mentale. Avoir oublié, au bout de cinq minutes, si j'étais admis en deuxième année ou recalé ? Un fait aussi important pour moi, et aussi facile à mémoriser ? Ce moment d'égarement et d'absence demeure dans ma mémoire comme un symbole de ce déchirement du temps que fut, pour moi comme pour l'ensemble des Arabes, la débâcle de juin 1967.

Sans doute avais-je inconsciemment besoin de m'associer de cette manière à la détresse de la ville où j'étais né.

Les Arabes avaient donc perdu la guerre, et Israël l'avait gagnée. Néanmoins, avec le recul, on peut se demander si ce conflit trop bref n'a pas été finalement un désastre pour tous les belligérants. Pas de la même manière, bien sûr, ni au même moment, ni avec la même intensité ; mais, chez les uns comme chez les autres, quelque chose d'essentiel s'est abîmé, qui paraît aujourd'hui irréparable.

S'agissant des perdants, on ne pouvait raisonnablement s'attendre à ce qu'ils surmontent, du jour au lendemain, une telle débâcle. Il leur fallait du temps pour en prendre conscience, pour la disséquer, et pour la digérer. De fait, il y eut, au lendemain de Soixante-sept et pendant quelques années, un foisonnement intellectuel et culturel sans précédent, dont Beyrouth était le foyer, et dont les contributeurs venaient de tout le monde arabe. Je le suivais, pour ma part, avec assiduité, et avec attente. Dans les journaux, dans les cercles de discussion, à l'université, et aussi au théâtre. Je me souviens en particulier du tumulte que provoqua une pièce du dramaturge syrien Saadallah Wannous, traitant la récente défaite par le sarcasme, et dont le titre pourrait être traduit par « Une causerie festive autour du cinq juin ». Et je me trouvais dans la salle quand le poète Omar Abou-Richeh, également syrien, déclama des vers corrosifs contre les chefs d'État arabes, qui venaient de se réunir au Maroc pour élaborer une stratégie, et qui n'avaient pas réussi à s'entendre.

Craignant que la honte s'efface, ils ont tenu
Un sommet à Rabat, pour conforter la honte.

Il y avait alors dans tout le monde arabe, et particulièrement dans ma ville natale, une aspiration réelle à comprendre de quoi souffraient nos sociétés, et à chercher des remèdes. On procédait, d'une certaine manière, à une introspection collective. Mais celle-ci n'est pas allée très loin. Pas assez loin, en tout cas, pour susciter un véritable sursaut. À l'époque, on n'entendait pas souvent encore que la solution était dans la religion, on nourrissait d'autres illusions : que la solution était « au bout du fusil », qu'elle se trouvait forcément dans le marxisme-léninisme, ou dans une version marxisée du nassérisme… Tous ces prétendus remèdes, inspirés de Mao, du Che, ou des révoltes étudiantes, allaient conduire à des déceptions, à des tragédies, à des égarements successifs. À des impasses.

De sorte que, un demi-siècle après Soixante-sept, les peuples arabes demeurent « sonnés », chancelants, incapables de surmonter le traumatisme de la défaite. Laquelle continue à peser sur leurs poitrines, comme une pierre tombale, et à embrumer leurs esprits. Ils ont renoncé au panarabisme, mais ils méprisent toujours les frontières existantes, et ils détestent leurs dirigeants. Ils ont cessé d'attendre la prochaine guerre contre Israël, mais ils ne souhaitent pas la paix non plus.

Plus grave, peut-être : ils se sont persuadés que le reste du monde était ligué contre eux, qu'il ne les comprenait pas, ne les écoutait pas, ne les respectait pas, qu'il se réjouissait de les voir humiliés et qu'il ne fallait même pas essayer de lui faire changer d'attitude. Et c'est là, sans doute, le symptôme le plus préoccupant. Car ce qu'il y a de pire pour un perdant, ce n'est pas la défaite elle-même, c'est d'en concevoir le syndrome de l'éternel perdant. On finit par détester l'humanité entière et par se démolir soi-même.

C'est précisément ce qui arrive de nos jours à la nation de mes ancêtres.

Pour quelle raison les Arabes n'arrivent-ils pas à surmonter leur défaite ? Je puis témoigner que beaucoup d'entre eux se le demandent constamment, toujours avec angoisse, et souvent avec de l'autodérision afin d'atténuer leur souffrance.

Pour qui s'intéresse à l'Histoire, cette interrogation en suscite une autre : qu'ont fait les autres peuples dans leurs pires moments de défaite ? Il y a forcément eu, au cours des siècles, tous les cas de figure. J'ai mentionné plus haut l'exemple de la France après la débâcle de 1940, et des États-Unis après Pearl Harbor ; tous deux avaient subi des revers graves, mais ils allaient pouvoir prendre leur revanche très vite, avant la fin du conflit. On peut également évoquer l'Union soviétique qui, après avoir été envahie par les divisions allemandes, avait pu se ressaisir, reprendre l'offensive et pousser ses armées jusqu'au cœur du territoire ennemi.

C'est là un scénario de rêve pour ceux qui ont subi un revers, et les Arabes ont tenté de le reproduire en octobre 1973, avec l'aide de Moscou, en traversant par surprise le canal de Suez, et en défonçant la ligne Bar-Lev ; mais leur succès fut de courte durée. Bénéficiant d'un pont aérien qui lui permit de reconstituer son stock d'armes et de munitions, Israël put reprendre l'avantage. Sadate, le successeur de Nasser, en tira les leçons. Il accepta de renoncer à la guerre et de signer un accord de paix. Depuis, aucun dirigeant arabe n'a pu entreprendre une action militaire d'envergure contre l'État hébreu.

Fort heureusement, la revanche par les armes n'est pas le seul moyen dont disposent les peuples pour surmonter leurs défaites et reconquérir leur dignité.

Si l'on se penche, par exemple, sur le cas de ceux qui ont perdu la Seconde Guerre mondiale, notamment l'Allemagne et le Japon, ils ont renoncé après 1945 à reconstituer leur formidable puissance militaire, et se sont même efforcés de dissocier leur fierté nationale de toute gloire guerrière, préférant miser sur le développement industriel et la quête de la prospérité. Et ils ont effectivement remporté, dans le domaine économique, des succès prodigieux, qui les ont propulsés, en une vingtaine d'années, au tout premier rang des nations du monde, faisant parfois pâlir d'envie ceux qui les avaient battus.

Un autre exemple éloquent de la manière dont on peut faire face à une épreuve historique majeure, c'est celui de la Corée du Sud. Elle connaît, depuis le milieu du XXe siècle, une situation éminemment traumatisante ; la moitié nord de la péninsule est dominée par une étrange dynastie communiste, qui a développé les armes les plus dévastatrices, et qui menace sans cesse de les utiliser contre ceux qui se mettraient en travers de sa route, et notamment contre la Corée du Sud.

Personne n'aurait pu blâmer cette dernière si elle avait vécu, au cours des décennies écoulées, dans une constante paranoïa ; si elle avait conservé un régime militaire répressif, avec un état d'urgence permanent ; et si elle avait consacré toutes ses ressources à la préparation de la grande bataille à venir. Mais ce n'est pas ce qu'elle a fait. Après une période de dictature anticommuniste, elle s'est résolument engagée, à partir des années quatre-vingt, sur la voie d'une démocratie pluraliste et libérale ; elle a donné la priorité absolue à la qualité de l'enseignement, ce qui lui vaut d'avoir aujourd'hui l'une des populations les plus instruites de la planète ; et elle s'est employée à développer son économie et à élever, année après année, le niveau de vie de ses citoyens.

Quand je contemple la Corée d'aujourd'hui, j'ai de la peine à croire que, dans les atlas de ma jeunesse, elle faisait partie du tiers-monde, et qu'elle venait même, dans les classements, derrière – souvent même loin derrière – des dizaines de pays qu'elle a su « doubler » allègrement dans sa course, notamment le Mexique, l'Argentine, l'Espagne, la Turquie, l'Iran et l'Irak, ainsi que le Liban, la Syrie, ou encore l'Égypte. La comparaison avec celle-ci est particulièrement instructive. En 1966, le revenu par habitant était, en dollars de l'époque, de 130 dollars pour la Corée contre 164 dollars pour l'Égypte. Cinquante ans plus tard, les chiffres étaient, grosso modo, de 30 000 dollars pour la Corée du Sud contre 2 500 dollars pour l'Égypte. Les deux pays ne « boxaient » plus dans la même catégorie.

Cette petite contrée, cette moitié de péninsule, moins peuplée que la Birmanie et moins étendue que l'île de Cuba, fait partie, à l'heure actuelle, des toutes premières puissances industrielles de la planète. Dans les technologies de pointe, elle parvient souvent à damer le pion aux Américains, aux Européens et aux Japonais ; ses grandes marques sont présentes dans toutes les chaumières de la planète, sur les tablettes, les téléphones, les téléviseurs ou les robots ; ses chantiers navals occupent la deuxième place dans le monde après la Chine ; pour la production automobile, elle n'est dépassée que par la Chine, les États-Unis, le Japon, l'Allemagne et l'Inde ; et tout est à l'avenant. Seuls passent devant elle des pays nettement plus vastes et plus peuplés.

Sans doute le nord de la péninsule est-il toujours séparé du sud, toujours gouverné par la même dynastie qui continue de s'armer et de tenir des discours menaçants. Les Sud-Coréens le surveillent avec appréhension, mais sans cesser de travailler, d'étudier, de construire, d'avancer. Parfois, on les oblige à marcher sur la corde raide entre Washington et Pyongyang, entre

Washington et Beijing, ou entre Tokyo et Pyongyang ; parfois, on leur fait avaler des couleuvres sans qu'ils puissent se plaindre. Mais ils se disent qu'un jour ou l'autre, leurs compatriotes du nord reviendront vers eux, et qu'ils sauront alors les accueillir et les réintégrer comme les Allemands de l'Ouest l'ont fait avec les Allemands de l'Est.

L'épreuve sera encore longue, douloureuse, et parfois éminemment périlleuse, mais la Corée du Sud s'est donné les moyens d'en sortir gagnante.

*

Il y a donc différentes manières de faire face à la défaite et à la perte des territoires. On peut choisir l'option militaire, ce qui a souvent donné, à travers l'Histoire, des résultats probants ; mais on peut également adopter d'autres voies pour sortir victorieux de l'épreuve. L'important, c'est de réfléchir sereinement, de peser le pour et le contre, puis de choisir l'orientation la plus avantageuse et de la suivre avec détermination. En se laissant guider, tout au long, par son intelligence, et non par son humeur, ni par le vacarme ambiant. Et en se posant, surtout, les bonnes questions. Non pas : « Avons-nous le *droit* de recourir à la force ? », ce à quoi la réponse est forcément « Oui ». Non pas : « Notre ennemi *mérite-t-il* d'être violemment attaqué ? », ce à quoi la réponse sera également « Oui ». Mais : « Avons-nous *intérêt* à mener le combat sur le plan militaire ? », « Les conséquences d'un recours à la force seraient-elles aujourd'hui à notre

129

avantage, ou à l'avantage de nos ennemis ? », ce qui exige une évaluation sereine des moyens dont on dispose, des rapports de force, etc.

La chose devrait aller de soi pour tous ceux qui s'occupent de politique, et à plus forte raison pour ceux qui président aux destinées d'un peuple. Hélas, ce n'est pas ainsi que se prennent les décisions dans le monde arabe. Même dans les moments les plus cruciaux. Et même de la part des plus grands dirigeants, des plus dévoués, des plus intègres.

J'ai lu abondamment ce qui a été publié concernant la guerre de 1967. Les travaux des historiens, comme les récits des témoins, divergent sur plusieurs aspects du conflit ; mais tous, qu'ils soient arabes, israéliens, occidentaux ou russes, semblent d'accord sur un point : Nasser ne voulait pas de cette guerre. Sans doute prévoyait-il qu'un jour ou l'autre, il y aurait un conflit majeur entre son armée et celle de l'État juif. Mais pas à ce moment-là, pas dans ce contexte, pas de cette manière. Plusieurs de ceux qui l'ont approché dans les semaines qui ont précédé l'affrontement rapportent des propos qui indiquent qu'il hésitait, qu'il se méfiait, et qu'il aurait préféré ne pas y aller.

Comment expliquer alors qu'il se soit quand même lancé dans la bataille ? Mes lectures me suggèrent une réponse déconcertante, qui rejoint ce qui se disait dans certaines discussions de l'époque : l'homme était vulnérable à la surenchère. Malgré son immense popularité, ou peut-être à cause d'elle. Comme tous les tribuns, il sentait les désirs des foules qui l'acclamaient, et il lui était difficile d'aller à leur encontre.

Il y a, dans l'histoire romaine, une anecdote édifiante que rapporte Plutarque dans *Les vies parallèles*. Au cours d'une bataille, le célèbre consul Caius Marius s'était retranché dans une position fortifiée, et le commandant des troupes adverses lui avait crié : « Si tu es un grand général, descends et viens te battre ! » Marius lui avait rétorqué : « Si tu es un grand général, force-moi donc à me battre quand je ne le veux pas ! »

Nasser aurait été bien inspiré de suivre cet exemple venu du monde antique. De ne pas laisser aux autres le soin de choisir à sa place le jour et le lieu de la bataille. Ni aux généraux ennemis, ni à ceux qui, dans le camp arabe, s'employaient à surenchérir, parfois par ardeur nationaliste, et parfois aussi dans le but de le faire trébucher.

Le raïs a effectivement trébuché, entraînant tous les Arabes dans sa chute, et pour longtemps. Dans l'un de ses derniers discours, prononcé quelques mois avant sa mort, il disait, en parlant d'Israël : « Tout comme l'ennemi ne peut pas se permettre de perdre une seule bataille, nous non plus nous ne pouvons plus nous permettre de perdre. Lui, il se bat le dos à la mer, et nous, nous nous battons le dos au néant. »

6

La défaite est quelquefois une opportunité, les Arabes n'ont pas su la saisir. La victoire est quelquefois un piège, les Israéliens n'ont pas su l'éviter.

Pour les Arabes, me dira-t-on, la chose est visible à l'œil nu. Mais pour Israël, un piège ? Lui qui est devenu, depuis Soixante-sept, la première puissance militaire de sa région ; lui qu'aucun de ses voisins ne songe plus à envahir, alors qu'il peut enjamber leurs frontières à sa guise ; lui qui a tissé avec l'unique superpuissance globale une alliance si intime qu'on ne sait plus lequel des deux courtise l'autre ; lui qui a pu bâtir, dans le même temps, des relations solides avec les Puissances qui furent jadis les grandes alliées des Arabes, comme la Russie, l'Inde, ou la Chine ?

Je pourrais poursuivre longtemps cette énumération, tant il est vrai que, depuis sa surprenante victoire sur Nasser, Israël a acquis une tout autre stature régionale et internationale. Ce qui a eu des retombées pour l'ensemble du monde juif ; lequel, après des millénaires d'humiliations et au sortir d'une épreuve qui faillit lui être fatale, connaît aujourd'hui un épanouissement sans précédent, dû en grande partie au succès du projet sioniste − un succès que personne ne prévoyait, pas même les plus optimistes des fondateurs.

À la conférence de Versailles, en 1919, il y avait, parmi les nombreux visiteurs qui s'activaient dans les coulisses, deux personnages emblématiques, l'un représentant le mouvement national arabe, et l'autre, le mouvement national juif. Le premier était le prince Faysal, fils du chérif hachémite de La Mecque, futur roi éphémère de la Syrie et futur roi d'Irak, accompagné de son célèbre conseiller, Lawrence d'Arabie ; le second était Chaïm Weizmann, dirigeant sioniste né dans l'Empire russe, émigré en Angleterre, et qui allait devenir, trente ans plus tard, le premier président de l'État d'Israël.

Il y eut, entre les deux hommes, une rencontre dont témoigne une photo étonnante, représentant Faysal dans son vêtement traditionnel, et Weizmann près de lui, une keffieh sur la tête en signe de fraternité. Il y eut également entre eux un accord écrit, vantant les liens historiques entre leurs deux nations, et qui contenait, de la part de l'émir, un engagement assorti d'une condition : si les Arabes obtenaient le vaste royaume qu'on leur avait promis pendant la Grande Guerre, ils encourageraient l'établissement des juifs en Palestine.

Rien de cela ne s'est réalisé, bien sûr, et seuls des rêveurs impénitents éprouvent encore de la nostalgie pour ce rendez-vous manqué. Si j'en parle ici, c'est pour rappeler que ces deux mouvements nationaux sont apparus simultanément sur la scène internationale, et que leur premier réflexe a été de trouver un terrain d'entente.

Puis leurs routes se sont séparées, et leurs destins ont été dramatiquement différents. Le mouvement national arabe, après quelques succès remarquables, a été terrassé par sa défaite militaire, et il semble, depuis, incapable de se relever ; ses héritiers en ont parfaitement conscience, ce qui explique leur amertume, leur désarroi, leur rage contre eux-mêmes et contre le reste de l'univers.

Faut-il en déduire qu'à l'inverse, le mouvement national juif, qui est parvenu à bâtir l'État auquel il aspirait, se porte à merveille, et que ses propres héritiers sont satisfaits et confiants ? Ceux qui suivent de près la vie politique et intellectuelle en Israël et dans la diaspora savent qu'il n'en est rien. Un doute existentiel s'est installé dans les esprits, qui se révèle profond et tenace. Sans être de même nature que le mal dont souffre le monde arabe, il est néanmoins en train de devenir, à sa manière, extrêmement angoissant.

Plutôt que de passer en revue les innombrables causes que les intéressés eux-mêmes trouvent à cette angoisse, j'irai tout droit vers le dilemme qui la cristallise, à savoir la question des territoires occupés. Que faudrait-il faire de la Cisjordanie ? se demandent les Israéliens depuis qu'ils s'en sont emparés en juin 1967. La réponse était, d'ordinaire, qu'il faudrait un jour s'en retirer en échange d'un accord de paix. Bien entendu, il y a toujours eu des « questions subsidiaires », sur lesquelles il n'y a jamais eu de consensus : Avec qui conclure la paix, et quels en seraient les termes ? De quels territoires se retirer, et dans lesquels se maintenir ? Quel statut aurait le territoire palestinien ? Juste une « entité autonome », avec une force de police pour le maintien de l'ordre ; ou bien un véritable État, pleinement indépendant, avec une armée en bonne et due forme ?

Ces questions étaient déjà suffisamment épineuses pour rendre très lointaine toute perspective de paix. Et, de fait, malgré quelques tentatives un peu plus prometteuses que d'autres, comme l'accord d'Oslo en 1993, rien de très positif, et certainement rien de concluant, ne s'est produit dans les dernières décennies. Aux yeux des Palestiniens, toutes les propositions israéliennes sont apparues, non sans raison, comme des diktats imposés par l'occupant ; et celui-ci, étant effectivement en position de force et confiant de pouvoir le rester, n'était pas pressé de faire des concessions. Il pouvait patienter cent ans, s'il le fallait !

Si j'ai dit que la guerre des Six Jours s'est révélée calamiteuse pour le vainqueur aussi, c'est justement parce qu'elle a favorisé l'émergence et la propagation, dans divers secteurs de la population israélienne, de cet état d'esprit qui dit : À quoi bon se précipiter ? Et pourquoi faire des concessions ? Qui peut garantir que ceux qui signeront la paix avec Israël la respecteront, ou que leurs successeurs ne la dénonceront pas ? Et de toute manière, que peuvent faire les Arabes ? Leur puissance militaire, que l'on croyait si redoutable, n'a-t-elle pas été anéantie en moins d'une semaine ?

Une « paix des braves » ne peut se conclure qu'entre des adversaires qui se respectent. La brièveté de la guerre de 1967 a sapé ce respect, et réduit pour longtemps les chances de parvenir à un compromis équitable, librement consenti, et durable.

Les historiens et les sociologues qui se sont penchés sur la société israélienne dans les dernières décennies ont observé à quel point l'image de l'Arabe et de sa culture s'y est dégradée. Rien ne résume mieux cette attitude dédaigneuse que le fait qu'un travail bâclé est couramment appelé « un travail d'Arabe ». Autre symptôme révélateur : de moins en moins de juifs jugent utile d'apprendre la langue arabe, même ceux dont les parents la parlaient couramment ; à l'inverse, les jeunes Palestiniens sont de plus en plus nombreux à étudier l'hébreu et à s'exprimer avec aisance dans cette langue.

Je n'irai pas jusqu'à dire qu'avant Soixante-sept, l'image de l'Arabe était positive au sein de la population juive. Elle ne l'a jamais été. Beaucoup de ceux qui se sont établis en Palestine depuis la fin du XIXᵉ siècle ne voyaient même pas la population locale et ne s'intéressaient ni à ce qu'elle faisait, ni à ce qu'elle pensait, ni à ce qu'elle pouvait ressentir. Mais les choses auraient pu s'améliorer avec le temps, au lieu de se détériorer. Les juifs partis d'Irak, de Syrie, du Liban, du Maroc ou du Yémen auraient pu conserver la tradition linguistique de leur pays d'origine, comme ce fut le cas pour les traditions musicales, ou culinaires. Mais ils n'ont pas été encouragés à le faire. Ni par leurs compatriotes israéliens d'aujourd'hui, ni par leurs compatriotes arabes d'hier. Dans l'ensemble, il y a eu peu d'osmose entre les populations arabes et juives dans les dernières décennies.

La proverbiale alchimie levantine n'opère manifestement

plus. Même les sublimes connivences de jadis sont peu à peu oblitérées. J'ai parfois l'impression d'être la dernière personne à se rappeler encore que c'est en langue arabe que Maïmonide a écrit le *Guide des égarés*.

*

Il est difficile de dire avec certitude si l'écroulement des passerelles culturelles a joué un rôle significatif dans la réduction des chances de paix. En revanche, il ne fait pas de doute que l'établissement de colonies juives en Cisjordanie a constitué un tournant décisif.

Aux premiers temps de l'occupation, les gouvernements israéliens successifs, à dominante travailliste, ne voulaient pas de ces implantations dites « sauvages ». Si l'on parvenait un jour à un accord de paix, se disaient-ils, et qu'on devait se retirer des territoires, la présence d'un grand nombre d'habitants juifs compliquerait la situation, puisqu'il faudrait très probablement les évacuer contre leur gré.

Le raisonnement était juste, mais le barrage était fragile, et il n'allait pas tarder à se fissurer. S'il fallait assigner une date à cet événement, ce serait celle du 20 avril 1975. Les membres d'un mouvement messianique avaient pris possession d'un terrain situé aux confins de trois villages arabes, pour y fonder une « implantation » juive dénommée Ofra. L'armée avait pour consigne d'empêcher de telles initiatives, au besoin par la force. Pourtant, ce jour-là, il y eut un flottement, dont les militants surent tirer profit.

Le pouvoir était toujours aux mains des travaillistes, mais une petite guerre se déroulait entre deux personnalités rivales : le chef du gouvernement, Yitzhak Rabin, et le ministre de la Défense, Shimon Peres. Le premier aurait voulu expulser les colons. Le second demanda à l'armée de ne pas intervenir. Ofra put donc se maintenir, puis une autre colonie fut construite, puis des dizaines, des centaines d'autres. Une brèche s'était ouverte, que plus personne n'a colmatée.

Deux ans après l'incident, la gauche perdait le pouvoir, qu'elle avait détenu sans interruption depuis la naissance de l'État d'Israël. Menahem Begin, dirigeant historique de la droite nationaliste, devenait le chef du gouvernement, et il n'avait, quant à lui, aucun désir de s'opposer à la colonisation. Laquelle s'est poursuivie, depuis, et n'a plus cessé de s'étendre, parfois lentement et parfois de manière accélérée, au gré des circonstances, mais dans un mouvement constamment ascendant. Si bien qu'à l'heure où j'écris ces lignes, plus d'un demi-million d'Israéliens vivent sur des terres qui avaient été arabes jusqu'en juin 1967.

Quel que soit le jugement que l'on porte sur cette évolution, que la plupart des Israéliens trouvent légitime mais que le reste du monde désapprouve très largement, il ne fait pas de doute qu'une nouvelle réalité est désormais en place, qui change radicalement les perspectives d'avenir. Le chemin vers la paix, qui était déjà étroit et très accidenté, est à présent bouché. En théorie, Israël pourrait emprunter diverses voies pour régler la question des territoires occupés. Mais, à y regarder de près, plus aucune ne permet de sortir de l'impasse.

Une première option serait de laisser la Cisjordanie aux Palestiniens et de rapatrier les colons. La chose aurait été envisageable lorsque ces derniers étaient peu nombreux. Aujourd'hui, ce n'est plus le cas. Un gouvernement israélien qui ordonnerait l'évacuation de centaines de milliers de ses ressortissants juifs prendrait le risque d'une guerre civile.

Une deuxième option, tout aussi théorique, serait d'annexer les territoires en accordant aux habitants arabes la citoyenneté. Mais cela voudrait dire qu'Israël renoncerait à son caractère juif, ce qui est impensable ; et qu'il entrerait en compétition avec la population palestinienne sur un terrain où celle-ci est sûre de gagner : la démographie.

Une troisième option serait d'annexer les territoires sans accorder aux Arabes la citoyenneté, et en les incitant même à partir au-delà des frontières, comme ce fut le cas lors de la création de l'État d'Israël en 1948. Mais si les autorités choisissaient une telle voie, elles seraient confrontées à une réprobation virulente et rageuse au sein même du monde juif, et elles apporteraient de l'eau au moulin de ceux qui les accusent de pratiquer une forme d'apartheid.

Reste l'option la plus facile à adopter, puisqu'elle n'exige aucune initiative particulière, ni aucun arbitrage entre les opinions divergentes : le statu quo. Conserver les territoires sans modifier leur statut ; prolonger indéfiniment l'occupation sans clamer sur les toits qu'elle est définitive ; hocher nonchalamment la tête chaque fois qu'un nouveau président américain propose sa médiation, puis attendre patiemment qu'il se décourage et que son joli plan de paix tombe à son tour dans la corbeille prévue à cet effet.

Cette routine a fait ses preuves. L'occupation est, certes, très critiquée à travers le monde, mais personne en Israël n'est en mesure de proposer une alternative. On a beau chercher, on ne voit plus de quelle manière un gouvernement, quelle que soit sa couleur politique, pourrait encore résoudre l'équation et sortir de l'impasse. C'est sans doute ce qui explique que les dirigeants favorables à une solution négociée, et qui avaient longtemps bénéficié d'un réel soutien populaire, soient à présent marginalisés. S'ils arrivaient au pouvoir, ils ne sauraient pas quoi faire, et les électeurs le sentent. De ce fait, « le camp de la paix », qui pouvait mobiliser jadis des foules impressionnantes, s'est rétréci comme une peau de chagrin.

Je garderai toujours en mémoire ce qui s'est passé en septembre 1982, au lendemain des massacres perpétrés dans les quartiers de Sabra et de Chatila, près de Beyrouth. Des miliciens libanais, appartenant à une faction chrétienne, s'étaient acharnés sur des civils palestiniens avec la complicité active de l'armée israélienne. Il y avait eu, selon certaines estimations, plus de deux mille morts.

Le monde entier était indigné, les Occidentaux autant que les Arabes, mais c'est dans les rues de Tel-Aviv qu'il y avait eu la protestation la plus massive et la plus significative. On a parlé de quatre cent mille manifestants, plus d'un Israélien sur huit.

Même ceux qui étaient outrés par le comportement des autorités et des troupes ne pouvaient qu'admirer l'attitude de la population juive. Protester contre le tort qui est fait à soi-même et aux siens est légitime et nécessaire, mais ne dénote pas forcément une grande élévation morale ; protester avec virulence contre le tort que les siens ont fait aux autres révèle, en revanche, une grande noblesse, et une remarquable conscience morale. Je ne connais pas beaucoup de peuples qui auraient réagi ainsi.

Hélas, une mobilisation massive pour une telle cause est aujourd'hui inconcevable en Israël. Ce qui représente, sur le plan éthique, une indéniable perte d'altitude.

Il ne s'agit peut-être pas d'une débâcle massive et spectaculaire comme celle qui frappe de nos jours le monde arabe. Mais l'on assiste, dans un cas comme dans l'autre, à un affaissement moral et politique particulièrement affligeant. Et quelque peu désespérant. Quand les héritiers des plus grandes civilisations et les porteurs des rêves les plus universels se métamorphosent en tribus rageuses et vengeresses, comment ne pas s'attendre au pire pour la suite de l'aventure humaine ?

7

Je n'ai appris que par les livres, et bien des années plus tard, ce qui s'était passé le 20 avril 1975 en Cisjordanie. Sur le moment, je n'en avais pas entendu parler. Il est vrai que j'avais alors de tout autres angoisses, plus immédiates, plus traumatisantes. Une tragédie venait de se produire, qui allait faire basculer mon pays natal dans une guerre sans fin, et bouleverser, du jour au lendemain, ma vie et celle de mes proches – une abominable tuerie, et qui s'était déroulée sous mes yeux, littéralement sous mes yeux, puisque nous avions eu, ma femme et moi, le triste privilège d'en être les témoins oculaires.

C'était le 13 avril, un dimanche. J'étais rentré au petit matin d'un long voyage en Asie. Vers midi, il y avait eu un vacarme dans notre rue. Des gens qui couraient dans tous les sens, et des éclats de voix, comme une dispute, tout près de nous, derrière notre immeuble. Pour mieux voir ce qui se passait, nous sommes allés dans notre chambre, qui avait une grande baie vitrée donnant sur « le carrefour au Miroir », ainsi baptisé parce qu'on y avait installé un panneau convexe permettant de voir les véhicules qui surgissaient, parfois à toute vitesse, des angles morts. Un autobus rouge et blanc était à l'arrêt ; autour de lui, quelques hommes armés qui, selon toute apparence, venaient de l'intercepter. Ils discutaient avec un passager qui se tenait dans l'embrasure de la portière. Nous trouvant à une trentaine de mètres de là, nous ne pouvions entendre ce qui se disait, mais nous percevions le ton de l'échange et la tension qui montait.

Soudain, une fusillade nourrie. Nous reculons d'un pas pour nous abriter derrière le mur de notre chambre. Puis, lorsque les tirs s'interrompent après quelques dizaines de secondes, nous nous rapprochons à nouveau de la fenêtre. Le carrefour était jonché de corps inertes. Je ne voyais pas toutes les victimes, la plupart ayant été abattues sans avoir pu sortir du véhicule. Ceux qui racontent l'histoire de la guerre du Liban donnent habituellement le chiffre de vingt-sept morts, presque tous palestiniens. Et ils s'accordent à dire que « l'incident de l'autobus » a marqué le commencement du conflit, même si les prémisses étaient là depuis un certain temps.

Je le confirme, pour avoir vécu et observé de près les événements de cette période-là : ce massacre représentait pour moi un choc, et par certains côtés, une énigme, mais pas vraiment une surprise. Tous les acteurs du conflit étaient déjà en position, à l'affût, les armes prêtes ; s'il n'y avait pas eu cette étincelle, il y en aurait eu une autre.

Depuis la guerre de Soixante-sept, à laquelle il n'avait pourtant pas pris part, mon pays natal était entré dans une longue période de turbulences, dont il ne devait plus sortir. Du fait de sa composition communautaire et de la fragilité de ses institutions, il était le maillon faible du Proche-Orient, et il l'a payé cher.

Au lendemain de la défaite arabe, le mouvement armé palestinien, qui venait de naître et qui cherchait une base arrière pour mener son combat, avait tenté de s'implanter dans deux contrées voisines d'Israël : le Liban et la Jordanie. Cette dernière représentait, selon plusieurs critères, la solution idéale. Sa population était à moitié palestinienne ; elle disposait d'une longue frontière avec l'État juif ; et elle se trouvait en bordure de la Cisjordanie, ce qui facilitait les contacts avec les militants de l'intérieur, ainsi que les incursions.

Mais le « petit roi » Hussein se révéla intraitable, et coriace. Il voulait bien donner aux mouvements palestiniens une certaine latitude, mais pas au point de les laisser devenir un État dans l'État. Employant tour à tour la fermeté et le compromis, alternant les bras de fer et les trêves, il parvint peu à peu à modifier le rapport des forces en sa faveur.

Et au mois de septembre 1970, que certains ont surnommé depuis, en signe de deuil, « septembre noir », il lança une offensive militaire de grande envergure pour reprendre le contrôle du territoire. Les fédayins, incapables de faire face à une armée régulière loyale à son roi et adéquatement équipée, furent contraints de battre en retraite. Leur leader, Yasser Arafat, qui venait de faire son apparition sur la scène internationale et dont la popularité ne cessait de grandir, demanda au président Nasser d'intervenir en personne pour le tirer de ce mauvais pas. Un sommet extraordinaire des chefs d'État arabes se tint au Caire. Il y eut d'interminables tractations nocturnes, des promesses, des menaces, des claquements de portes, suivis de poignées de mains sans grande sincérité.

C'est au dernier jour de cette conférence exténuante que le président égyptien fut terrassé par une crise cardiaque, alors qu'il faisait inlassablement la navette entre sa résidence et l'aéroport pour raccompagner ses invités.

Quelques heures plus tôt, il avait fait adopter par ses pairs un accord qui mettait fin aux combats, et qui reconnaissait aux Palestiniens, en termes vagues, le droit de poursuivre par tous les moyens leur combat contre Israël. Mais c'était seulement pour qu'ils ne perdent pas la face. Sur le terrain, le roi avait remporté une victoire sans appel. Son pays n'allait plus jamais servir de base arrière pour la résistance armée.

*

Les visées des fédayins en direction du Liban allaient connaître un tout autre destin.

Au début, ils pensaient que ce pays n'allait être pour eux qu'une base d'appoint, pouvant contribuer au retentissement médiatique de leurs actions mais pas aux actions elles-mêmes. Il ne se trouvait pas en bordure de la Cisjordanie, et les réfugiés palestiniens n'y constituaient qu'une faible partie de la population.

De plus, sa complexité était proverbiale. Comment se frayer un chemin parmi tant de confessions, de factions, de clans et de chefferies héréditaires ? Mais Arafat et ses compagnons n'allaient pas tarder à comprendre que cette

146

complexité, loin d'être un obstacle à leurs ambitions, leur offrait au contraire des opportunités sans limites s'ils se montraient capables de manœuvrer avec intelligence.

Lorsqu'on évoque les insondables subtilités de la vie politique libanaise, on ne souligne pas toujours le fait que la communauté chrétienne maronite, à laquelle doit obligatoirement appartenir tout président de la République, dispose également, depuis l'indépendance, d'un autre poste-clé, celui de commandant en chef de l'armée. Le général Chéhab, déjà mentionné dans ces pages, avait assumé la présidence au sortir d'une crise aiguë ; et dans les dernières décennies, les deux fonctions ont été si étroitement associées que l'habitude a été prise de ne plus élire que des généraux à la magistrature suprême.

Cette curieuse pratique sera probablement passagère. Mais il est vrai que l'institution militaire a longtemps été perçue, à tort ou à raison, comme un bastion pour les maronites, et cette perception a joué un rôle déterminant pendant la période cruciale où les mouvements palestiniens cherchaient à s'établir au Liban. Beaucoup de musulmans éprouvaient en ce temps-là une grande méfiance envers l'armée nationale, lui reprochant de n'avoir pas pris part à la guerre aux côtés des autres armées arabes. « Ils auraient voulu que notre territoire soit lui aussi envahi et occupé ? » persiflait un politicien de l'époque. Mais il est vrai que, dans le climat d'amertume et de rage qui sévissait au lendemain de la défaite, la non-participation du Liban à la bataille contre Israël était considérée, dans certains milieux, sinon comme une désertion ou une trahison, du moins comme une attitude d'indifférence envers la cause arabe.

De ce fait, lorsque des fédayins en armes firent leur apparition dans les rues de Beyrouth et dans quelques autres régions du pays en proclamant leur intention d'en découdre avec l'ennemi, une partie de la population s'identifia à eux et leur apporta son aide. Les autorités libanaises durent se résigner. Non parce qu'elles approuvaient l'arrivée de ces combattants, ni parce qu'elles sous-estimaient le risque que leur venue faisait courir au pays, mais parce qu'elles se sentaient incapables de l'empêcher.

Dans un système fondé sur les communautés, le pouvoir politique est paralysé lorsqu'il n'y a pas de consensus. Et sur la question des fédayins, il n'y en avait pas. Même au sein de l'armée. Sans doute les maronites étaient-ils un peu mieux représentés que d'autres au sein de l'état-major, mais l'institution était, grosso modo, à l'image de la société, traversée par les mêmes lignes de fracture identitaires et idéologiques, et elle menaçait de voler en éclats si elle s'engageait dans une bataille controversée.

C'est en raison de cette fragilité paralysante que le gouvernement libanais s'était dépêché d'accepter, dès les premières escarmouches avec les fédayins, ce que le monarque hachémite allait refuser jusqu'au bout, à savoir un traité en bonne et due forme autorisant les mouvements armés palestiniens à opérer sur son territoire. Ratifié à l'aveugle par un Parlement auquel on avait refusé d'en dévoiler les clauses secrètes, l'accord signé au Caire en novembre 1969 restera dans les annales comme l'exemple même de ce qu'un État doit éviter de signer s'il entend conserver sa souveraineté et sa paix civile. Il stipulait que les camps de réfugiés palestiniens situés sur l'ensemble du territoire libanais passeraient désormais sous l'autorité de l'Organisation de Libération de la Palestine ; et que celle-ci serait désormais libre de mener son action armée contre Israël à partir du territoire libanais.

Dans l'absolu, il est parfaitement légitime, pour un gouvernement, de s'associer à un combat qu'il estime juste, et d'offrir son assistance à ceux qui le mènent. Mais lorsqu'un petit pays, faible et fragile, qui n'a rien d'une Prusse ni d'une Sparte, est jeté dans la bataille sans qu'il ait pu décider de lui-même s'il voulait s'y lancer ou pas, et seulement parce que d'autres pays ou d'autres entités politiques préfèrent que ce soit lui qui reçoive les coups, il n'y a là plus rien de légitime, plus rien d'acceptable.

C'est précisément ce qui est arrivé à mon pays natal. Il a été violemment poussé dans le cratère d'un volcan. Et il n'a même pas eu la consolation d'être perçu comme une victime innocente, vu qu'à chaque étape de son calvaire, il y a eu des factions locales, de gauche comme de droite, parmi les chrétiens comme parmi les musulmans, pour faire la courte échelle aux prédateurs.

Tel est le prix que nous avons dû payer, mes compatriotes et moi, pour n'avoir pas été capables de bâtir une nation.

L'accord du Caire était déjà en vigueur lorsque les organisations palestiniennes furent expulsées de Jordanie. Elles purent donc se rabattre sans délai sur Beyrouth, qui devint aussitôt, et pour une douzaine d'années, leur capitale en même temps que celle de l'État libanais. C'est là que résidaient leurs responsables, à commencer par Arafat. C'est là que se rendaient les délégations étrangères qui prenaient contact avec eux. C'est là que se réunissaient leurs organes dirigeants. Et c'est de là que sortaient leurs communiqués militaires et leurs déclarations politiques.

La ville était devenue un passage obligé pour la presse internationale comme pour les services de renseignements du monde entier. Elle pullulait d'agents doubles, de faux diplomates, d'activistes et d'aventuriers ; qui infiltraient les organisations palestiniennes, qui les espionnaient, qui les parasitaient, ou qui tournaient dans leur orbite. Que de fois ai-je entendu, depuis, que telle ou telle faction militante d'Occident ou d'Orient avait fait ses premières armes dans le Liban de ces années-là ! Ce n'était pas encore l'époque des attentats-suicides d'inspiration islamiste, mais c'était déjà celle des détournements d'avions spectaculaires, des groupuscules violents d'extrême gauche, comme l'Armée rouge japonaise, la bande à Baader, ou l'organisation fantomatique qui se faisait appeler « Septembre noir ».

Ce serait un euphémisme de dire qu'en s'ouvrant ainsi à tous les vents, à toutes les tempêtes, mon pays natal s'est attiré quelques ennuis. De la part des Israéliens, une longue succession de représailles violentes, et qui culminèrent en une invasion massive du territoire jusqu'à Beyrouth ; et de la part des Arabes, des empiétements incessants qui eurent pour effet de disloquer le pays, et le saigner, avant de le placer, pendant trois décennies, sous la tutelle de Damas. Et il y eut aussi, bien entendu, les interminables guerres intestines, auxquelles prirent part de nombreux protagonistes, et qui furent, à toutes les étapes, destructrices et meurtrières. Les victimes se comptèrent par centaines de milliers, l'économie fut pratiquement anéantie, et la modernisation de la société compromise pour longtemps.

Je viens de brosser un tableau quelque peu apocalyptique du Liban de ces années-là, et je me dois de le nuancer. Parce qu'il n'y avait pas seulement les cortèges de miliciens, les camps d'entraînement et les réseaux d'espions. Dans le sillage des fédayins étaient venus aussi des chercheurs, des écrivains, des éditeurs, des cinéastes, des dramaturges, des chanteurs, souvent palestiniens mais également syriens, irakiens, soudanais ou maghrébins, qui contribuaient au foisonnement des idées consécutif à la débâcle de 1967.

En raison de leur présence, et des tensions mentales et affectives qu'elle générait, le rôle de Beyrouth comme capitale intellectuelle et artistique du monde arabe allait connaître alors une étonnante floraison.

8

Le hasard a voulu que je commence mon activité de journaliste dans les premiers mois de 1971, au moment même où l'OLP s'installait dans ma ville natale, la propulsant, pour de nombreuses années, sous les projecteurs de l'actualité. J'avais vingt-deux ans, je travaillais dans l'un des principaux quotidiens du pays, *An-Nahar*, et je me trouvais, de ce fait, dans un poste d'observation incomparable.

Dans les couloirs du journal défilaient sans arrêt des personnages que je n'aurais jamais eu l'occasion de rencontrer si je vivais sous d'autres cieux, ou à une autre époque. En prenant l'ascenseur, il m'arrivait de croiser l'ambassadeur d'Allemagne, d'Algérie ou d'Union soviétique, puis un évêque grec-orthodoxe, un dirigeant indépendantiste érythréen, ou un ancien colonel de l'armée libanaise qui venait d'être gracié et libéré après avoir été condamné à mort pour tentative de coup d'État. Et en entrant dans la petite salle que je partageais avec trois autres rédacteurs, je voyais souvent, en conciliabule avec mes collègues, le correspondant du *Guardian* ou celui du *Monde*, l'envoyé spécial du *Spiegel* ou de *Newsweek*, qui venaient aux nouvelles, ou qui voulaient vérifier des rumeurs qui leur étaient parvenues.

Parmi les visiteurs réguliers de la rédaction se trouvait Kamal Nasser, porte-parole officiel de l'OLP. Né en Cisjordanie au sein d'une famille chrétienne de rite protestant, journaliste lui-même et poète, ancien député au Parlement jordanien, il avait été chargé par Arafat de rehausser l'image de l'organisation dans la presse internationale, et il s'acquittait efficacement de sa tâche. En peu de temps, il était parvenu à donner au mouvement palestinien un visage reconnaissable, humain, plaisant, et une voix limpide qui ne ressemblait en rien à celle des propagandistes purs et durs. Il savait s'écarter de la langue de bois pour évoquer ses années d'étudiant à l'Université américaine de Beyrouth, ou pour réciter un poème de son cru sur les bistrots de Paris. Je l'ai même entendu vanter avec enthousiasme l'esprit chevaleresque du roi Hussein, alors même que ce dernier était, en ce temps-là, l'ennemi juré des Palestiniens. « Il nous a tués, mais je n'arrive pas à le détester ! » disait-il avec un geste d'impuissance. Les correspondants étrangers l'appréciaient, d'autant qu'il s'exprimait en anglais avec beaucoup d'aisance. Il avait d'ailleurs enseigné cette langue, au tout début de sa carrière, à Jérusalem, dans une école tenue par les missionnaires.

Je l'écoutais toujours avec beaucoup d'intérêt et un réel plaisir, même lorsqu'il s'en tenait strictement à son rôle de porte-parole officiel. Mais je ne prenais pas de notes, et je ne cherchais pas à reproduire ses propos. Au journal, je ne m'occupais pas des affaires palestiniennes, ni des affaires libanaises, ni de tout ce qui se rapportait au monde arabe. Pour tous ces dossiers, *An-Nahar* avait une équipe nombreuse et compétente. Chaque pays important avait ses spécialistes attitrés, qui suivaient son actualité de près, qui le visitaient régulièrement, qui y connaissaient les dirigeants, les opposants, et toutes les sources fiables.

Pour ma part, le domaine auquel je me consacrais était à la fois immense et marginal. Immense, puisqu'il couvrait en principe la planète entière à l'exception du monde arabe ; mais marginal dans la mesure où les lecteurs s'intéressaient d'abord à l'actualité locale – celle qui pouvait affecter leur vie et celle de leurs proches. Un quotidien soucieux de son prestige devait naturellement parler de la guerre du Vietnam, du combat contre l'apartheid en Afrique du Sud, de la révolution des Œillets au Portugal, du coup d'État au Chili ou du soulèvement militaire contre l'empereur d'Éthiopie. De ce fait, le journal encourageait ma passion pour ces contrées lointaines, et m'incitait parfois à m'y rendre pour les connaître de plus près. Mais le vaste monde n'occupait d'habitude, en nombre de pages, qu'un espace modeste.

Je n'étais donc pas censé couvrir les événements qui se passaient autour de moi, et je m'accommodais sans mal de ce rôle d'observateur muet. Quelques rares fois, néanmoins, la pression de l'actualité se faisait si forte sur la rédaction que tous les bras étaient requis, y compris les miens.

C'est une urgence de cet ordre qui se présenta dans

la nuit du 9 au 10 avril 1973. Je revenais d'une soirée chez des amis lorsque j'appris, par la radio, que des incidents graves venaient de se produire. Les nouvelles étaient confuses et fragmentaires. Il y aurait eu des attaques israéliennes dans certains quartiers de la ville, mais on ne savait pas encore quelles en étaient les cibles. Je me rendis sans tarder au journal, où régnait le branle-bas des grandes crises. Il devait être trois heures du matin, et l'on commençait à recevoir des informations un peu plus précises. Un gros détachement de commandos israéliens serait arrivé par la mer, puis se serait divisé en plusieurs groupes, qui auraient attaqué différents objectifs, dans au moins trois quartiers de la ville, avant de se retirer, toujours par voie de mer.

Quelques minutes plus tard, on apprenait, par un bulletin de la radio nationale, qu'une attaque avait eu lieu dans la partie ouest de la capitale, près de la rue Verdun, contre un groupe d'immeubles où résidaient certains dirigeants palestiniens. Deux d'entre eux auraient été tués, et un troisième, Kamal Nasser, aurait été enlevé.

Le photographe vedette d'*An-Nahar*, Sam Mazmanian, qui travaillait également pour les deux principales agences américaines, Associated Press et United Press, décida de se rendre immédiatement sur les lieux. On me demanda de l'accompagner.

Au bas des immeubles qui venaient d'être attaqués, une foule était rassemblée – des fédayins en armes, des voisins en pyjama, des badauds. Un homme me dit de faire attention, parce qu'il y avait au sol, paraît-il, des détonateurs non explosés. Un autre me prêta une lampe de poche, car l'électricité était coupée et la cage d'escalier était sombre. Un autre encore m'indiqua l'étage où vivait le porte-parole de l'OLP, le troisième.

La porte de l'appartement était grand ouverte, avec des débris tout autour. Je suis entré prudemment, bientôt rattrapé par Sam, qui s'était arrêté en montant les marches afin de prendre des photos plongeantes. L'endroit paraissait vide. Mais soudain, sous une grande table, la forme d'un corps. Ceux qui étaient venus avant nous ne l'avaient manifestement pas vu. J'ai rapproché le faisceau de lumière. C'était lui. Kamal Nasser. Étendu sur le dos, les bras en croix. Sous sa lèvre inférieure, un impact de balle. Il faisait trop sombre pour que je puisse voir s'il en avait reçu d'autres.

J'étais perdu dans une contemplation émue et pensive lorsque mon compagnon posa la main sur mon épaule. Il voulait que je m'écarte pour qu'il puisse prendre une photo.

De retour au journal, je m'étais dépêché de rectifier les informations qui avaient circulé jusque-là. « Il n'a pas été enlevé, il a été tué. J'ai trouvé son corps sous sa table, dans le noir. Sam a les images, il est en train de les développer. »

On apprendra quelques années plus tard que l'opération d'avril 1973 avait été conduite par Ehud Barak, futur Premier ministre d'Israël, déguisé en femme, avec une perruque brune. Le but du stratagème était de simuler une scène d'amour dans une voiture, pour que les gardes postés dans la rue s'approchent de la fenêtre et qu'ils puissent être liquidés silencieusement avant que la troupe ne s'engouffre dans les escaliers.

Deux mois plus tôt, une romancière américaine de trente-sept ans avait loué un appartement dans le même groupe d'immeubles. Elle préparait un ouvrage inspiré de la vie de lady Hester Stanhope, une aventurière anglaise fort connue au Levant, où elle avait résidé pendant plusieurs années dans la première moitié du XIXe siècle. La jeune romancière avait rassemblé une importante documentation, qu'elle empilait sur sa table d'écriture, posée près de sa fenêtre ; de là, elle pouvait voir, juste en face, à quelques mètres d'elle, la table à laquelle Kamal Nasser s'installait pour écrire. C'est seulement quarante ans plus tard qu'elle révélera sa vraie histoire – mais toujours pas son vrai nom – dans un livre intitulé *Yaël, une combattante du Mossad à Beyrouth.* Elle y racontera notamment que, pour rendre sa couverture plus crédible, ses supérieurs l'avaient envoyée faire un stage de quelques jours chez un vrai historien, Shabtai Teveth, auteur d'une biographie de Moshe Dayan et de plusieurs livres sur David Ben Gourion ; non pour qu'il lui apprenne à écrire, ce dont elle ne se sentait pas capable, dira-t-elle, mais pour qu'il lui apprenne à faire semblant : comment éparpiller les feuilles sur son bureau, comment disposer les stylos, que jeter dans sa corbeille et comment parler à des tiers de son activité littéraire. Beaucoup de préparatifs minutieux, pour une mission toute simple : surveiller les dirigeants palestiniens par la fenêtre pour s'assurer qu'ils seraient chez eux quand le commando israélien viendrait les assassiner.

Ce soir-là, le 9 avril, un officier du Mossad, de passage

à Beyrouth sous couverture de touriste, invita « Yaël » à prendre un verre à dix-neuf heures au bar d'un grand hôtel.

« Tes voisins sont là ? lui demanda-t-il.

— Oui, tous les trois. »

Si elle avait répondu autrement, l'homme aurait appelé ses contacts pour que l'attaque fût reportée.

*

En raison de la notoriété des victimes palestiniennes comme de l'aspect rocambolesque de l'opération israélienne, le Liban fut secoué comme il l'avait rarement été jusque-là. Une grave crise gouvernementale se déclencha immédiatement. Le Premier ministre, Saëb Salam, exigea le limogeage du commandant en chef de l'armée, et il présenta sa démission quand sa demande fut rejetée par le président de la République, Soleimane Frangié.

Il y avait là, indéniablement, un jeu politique communautaire éminemment libanais, puisque Salam était un musulman sunnite et Frangié un chrétien maronite, tout comme le général, objet du litige. Mais il y avait aussi un vrai dilemme, qui dépassait ces clivages, et qui angoissait tous ceux qui s'intéressaient au sort du pays.

Il va de soi qu'une armée nationale, censée défendre le territoire de la patrie, n'a pas fière allure lorsqu'un commando ennemi débarque dans la nuit, attaque des cibles dans trois ou quatre quartiers différents, puis se retire sans s'être fait intercepter. Le pays tout entier se sentait humilié, et il en voulait à ses militaires. N'auraient-ils pas dû au moins tirer quelques salves, pour l'honneur ?

Sans doute. Néanmoins, il y avait un autre aspect du problème, qu'on ne pouvait ignorer : l'accord du Caire avait déjà retiré à l'armée libanaise une partie de ses prérogatives en autorisant les Palestiniens à lancer des opérations militaires à partir du territoire qu'elle était censée protéger. Peut-on légitimement faire porter à l'institution militaire la responsabilité des représailles alors qu'on lui a interdit d'empêcher les attaques qui les avaient provoquées ? Ce sont là deux missions complémentaires, inséparables, dont les armées du monde entier sont investies ; quand on les dépouille de l'une, on peut difficilement leur demander de remplir l'autre.

Par-delà ce débat autour de l'institution militaire, de ses devoirs et de ses prérogatives, il était désormais clair que l'État libanais n'avait pas la possibilité de sortir de l'impasse où il se trouvait, et qui faisait de lui à la fois le champ de bataille et la victime collatérale des affrontements sanglants entre Israéliens et Palestiniens.

Dans plusieurs communautés du pays, des milices commençaient à se former, des arsenaux se constituaient, et de nouveaux dirigeants apparaissaient, avec un discours jusque-là inconnu : puisque l'armée n'est manifestement pas capable de remplir sa mission, « les citoyens » le feront eux-mêmes. Mais lesdits « citoyens » n'avaient pas tous la même vision des choses. Pour les uns, la mission que l'armée aurait dû remplir, c'était de s'opposer aux Israéliens, coûte que coûte. Pour les autres, c'était de s'opposer aux Palestiniens.

Les premiers se retrouvaient surtout dans les communautés musulmanes et dans les partis de gauche, ce qui leur a valu, pour un temps, l'appellation saugrenue d'« islamo-progressistes » ; ils proclamaient leur volonté de protéger la Résistance palestinienne contre tous ceux qui cherchaient à l'étouffer ou à l'entraver ; et l'OLP, à son tour, leur prodiguait des armes, de l'argent, et un encadrement militaire.

Les seconds avaient pour fer de lance des partis implantés dans les communautés chrétiennes ; ils voyaient dans la présence de l'armée palestinienne une menace pour le pays, et ils espéraient y mettre un terme. Leurs militants s'entraînaient de manière intensive au maniement des armes, tout en sachant que leurs forces ne seraient pas suffisantes, et qu'ils auraient besoin d'un allié puissant.

Quel allié pouvaient-ils envisager ? Certains pensaient à Israël. Mais cette voie n'avait, en ce temps-là, que peu de partisans. Plus tard, elle sera explorée, pour une période brève, sous l'égide de Béchir Gemayel, et elle s'achèvera sur une double tragédie : l'assassinat du jeune président-élu, suivi du massacre de Sabra et Chatila.

Dans l'immédiat, une autre option allait prévaloir, qui apporterait, elle aussi, son lot de tragédies. Prônée par le président Frangié, elle ne suscitait pas beaucoup d'enthousiasme chez les autres dirigeants maronites, mais la plupart d'entre eux la voyaient alors comme un moindre mal : au lieu de se compromettre avec Israël, et de se retrouver ainsi au ban du monde arabe, ne serait-il pas préférable de laisser « dompter » les fédayins par un « pays frère », en l'occurrence la Syrie ?

161

Nul n'ignorait qu'Arafat et le président Hafez el-Assad se vouaient une profonde détestation mutuelle. Ce n'était pas seulement dû à un conflit de personnalités, mais aussi à un différend stratégique majeur.

La préoccupation constante du chef de l'OLP, tout au long de son combat, était que « la décision » des Palestiniens soit entre leurs mains, et qu'aucun dirigeant arabe, quel qu'il soit, ne puisse parler en leur nom. Assad soutenait, à l'inverse, que la cause palestinienne était celle de toute la nation arabe, « de l'océan au Golfe ». Une affirmation de principe qui venait à l'appui d'un objectif stratégique primordial pour le président syrien, celui de pouvoir négocier avec les grandes puissances en tenant à la main la « carte » palestinienne, qui représente, dans ce conflit, un atout majeur.

Pour se l'approprier, Damas avait bâti tout un réseau d'organisations pro-syriennes qui, au sein de l'OLP et au cœur même du Fatah, le mouvement fondé par Arafat, relayait les thèses d'Assad. Si celui-ci pouvait placer le Liban sous sa tutelle ; s'il pouvait devenir un arbitre dans ce pays, parrainant à la fois les Palestiniens et les Libanais, protégeant les uns contre les autres, il se retrouverait en position de force dans toute négociation autour du Proche-Orient.

Lorsque certains dirigeants libanais s'en furent demander à Damas s'il serait possible de les aider à sortir des sables mouvants dans lesquels ils étaient en train de s'enfoncer, leurs propos étaient de la musique aux oreilles d'Assad. L'occasion était trop belle, il n'allait pas hésiter à la saisir. Les troupes syriennes pénétrèrent donc en force dans le pays, et quand Arafat et ses alliés « islamo-progressistes » tentèrent de leur tenir tête, ils furent sévèrement battus.

Dans la région chrétienne où je vivais alors, bien des gens applaudissaient l'armée syrienne qui les avait enfin « libérés » des milices palestiniennes. D'autres se demandaient déjà qui diable allait pouvoir un jour les « libérer » de l'armée syrienne.

*

Le jour où j'ai quitté le Liban en guerre sur une embarcation de fortune, en juin 1976, tous les rêves de mon Levant natal étaient déjà morts, ou agonisants. Le paradis de ma mère était parti en flammes et celui de mon père n'était plus que l'ombre de lui-même. Les Arabes étaient pris au piège de leurs défaites, et les Israéliens au piège de leurs conquêtes, les uns comme les autres incapables de se sauver.

Je ne pouvais évidemment deviner à quel point les tragédies de ma région natale allaient se révéler contagieuses, ni avec quelle violence sa régression morale et politique allait se propager à travers la planète. Mais je n'étais pas complètement surpris de ce qui est arrivé. Étant né tout au bord de la faille, il ne me fallait pas des trésors de lucidité pour sentir qu'on s'approchait à grands pas de l'abîme.

Il me suffisait de garder les yeux ouverts, et les oreilles attentives aux craquements.

III

L'année du grand retournement

De même que l'avenir mûrit dans le passé,
Le passé pourrit dans l'avenir –
Un lugubre festival de feuilles mortes.

Anna AKHMATOVA (1889-1966),
Poème sans héros

1

Le drame que les Arabes d'aujourd'hui nomment simplement « Soixante-sept » fut donc un tournant décisif
sur le chemin de la détresse et de la perdition. Mais il
n'explique pas tout. Les choses auraient pu s'arranger,
un autre virage aurait pu être pris, quelques années plus
tard, pour remonter la pente. Si la dérive s'est poursuivie, et même accentuée, c'est en raison d'un autre
phénomène historique, plus ample, beaucoup plus étalé
dans le temps, et qui n'est pas, à proprement parler, « un
événement » parmi d'autres.

L'appellation qui me vient spontanément à l'esprit est
plutôt celle de « syndrome » – au sens le plus originel,
le plus antique du terme, celui d'un lieu où plusieurs
pistes courent ensemble dans une même direction. De
fait, ce que je chercherai à évoquer dans les pages qui
suivent, c'est une foule d'événements, émanant de plusieurs continents et de multiples domaines, mais qui possèdent une orientation commune, et qui ont poussé en
quelque sorte tout « l'attelage » des hommes dans la voie
qui est aujourd'hui la sienne.

Quand on s'efforce de comprendre pourquoi une

situation donnée a évolué de telle ou telle manière, on est souvent tenté de remonter très loin dans le passé. Ce qui devient quelquefois fastidieux, vu que chaque élément de la situation a sa propre histoire, qui peut s'étaler parfois sur des siècles. Si l'on ne veut pas se perdre dans la forêt touffue des dates, des personnages, des passions et des mythes, on doit parfois se frayer une perspective à coups de serpe.

C'est ainsi que j'ai procédé quand je me suis plongé dans l'histoire des dernières décennies. Je devrais plutôt dire « replongé », vu que, depuis l'enfance, je n'ai cessé de suivre l'actualité de très près, avec un engouement qui s'explique certainement par le fait que j'ai grandi à l'ombre d'un père journaliste.

Cette passion ne s'est jamais démentie. Aujourd'hui encore, je consacre plusieurs heures par jour à écouter et à lire des nouvelles en provenance de toutes les régions du monde. Et même lorsque les développements m'inquiètent ou m'affligent, je ne me lasse pas du spectacle, et ne détourne pas les yeux. J'ai constamment l'impression d'assister au plus étonnant des feuilletons, avec une infinité d'épisodes palpitants, et des rebondissements dignes des meilleurs scénaristes.

La plupart des événements dont je m'apprête à parler, je me souviens d'en avoir eu connaissance au moment où ils se sont produits ; quelquefois même, je me suis rendu sur place, à Saigon, Téhéran, New Delhi, Aden, Prague, New York ou Addis-Abeba, pour y assister en personne. Mais on voit les choses autrement avec le recul, lorsqu'on connaît déjà les conséquences.

Ce qui m'est apparu clairement en revisitant l'actualité d'hier, c'est qu'il y a eu, aux alentours de l'année 1979, des événements déterminants, dont je n'ai pas saisi l'importance sur le moment. Ils ont provoqué, partout dans le monde, comme un « retournement » durable des idées et des attitudes. Leur proximité dans le temps n'était sûrement pas le résultat d'une action concertée ; mais elle n'était pas non plus le fruit du hasard. Je parlerais plutôt d'une « conjonction ». C'est comme si une nouvelle « saison » était arrivée à maturité, et qu'elle faisait éclore ses fleurs en mille endroits à la fois. Ou comme si « l'esprit du temps » était en train de nous signifier la fin d'un cycle, et le commencement d'un autre.

Cette notion, que la philosophie allemande a forgée sous le nom de *Zeitgeist*, est moins fantomatique qu'il n'y paraît ; elle est même capitale pour comprendre la marche de l'Histoire. Tous ceux qui vivent à une même époque s'influencent les uns les autres, de diverses manières, et sans en avoir habituellement conscience. On se copie, on s'imite, on se singe, même, on se conforme aux attitudes qui prévalent, parfois sur le mode de la contestation. Et dans tous les domaines – en peinture, en littérature, en philosophie, en politique, en médecine, comme dans le vêtement, l'allure, ou la chevelure.

Les moyens par lesquels ledit « esprit » se diffuse et s'impose sont difficiles à cerner ; mais il est indéniable qu'il opère, à toutes les époques, avec une efficacité implacable. Et en cet âge de communications massives et instantanées, les influences se propagent beaucoup plus vite que par le passé.

D'ordinaire, l'esprit du temps agit sans qu'on s'en rende compte. Mais quelquefois son effet est si manifeste qu'on le voit quasiment intervenir en temps réel. C'est en tout cas l'impression que j'ai eue quand je me suis penché à nouveau sur l'histoire récente pour essayer d'en tirer quelques enseignements.

Comment avais-je pu ne pas voir une si forte conjonction entre les événements ? J'aurais dû en tirer depuis longtemps cette conclusion qui, aujourd'hui, me saute aux yeux ; à savoir que nous venions d'entrer dans une ère éminemment paradoxale où notre vision du monde allait être transformée, et même carrément renversée. Désormais, *c'est le conservatisme qui se proclamerait révolutionnaire, tandis que les tenants du « progressisme » et de la gauche n'auraient plus d'autre but que la conservation des acquis.*

Dans mes notes personnelles, je me suis mis à parler d'une « année de l'inversion », ou parfois d'une « année du grand retournement », et à recenser les faits remarquables qui semblent justifier de telles appellations. Ils sont nombreux, et j'en évoquerai quelques-uns au fil des pages. Mais il y en a surtout deux qui m'apparaissent particulièrement emblématiques : la révolution islamique proclamée en Iran par l'ayatollah Khomeiny en février 1979 ; et la révolution conservatrice mise en place au Royaume-Uni par le Premier ministre Margaret Thatcher à partir de mai 1979.

Un océan de différence entre les deux événements, comme entre les deux conservatismes. Et aussi, bien entendu, entre les deux personnages-clés ; pour trouver dans l'histoire de l'Angleterre un équivalent de ce qui s'est passé en Iran avec Khomeiny, il faudrait remonter à l'époque de Cromwell, lorsque les révolutionnaires régicides étaient également des puritains et des messianistes. Il y a néanmoins, entre les deux soulèvements, une certaine similitude, qui ne se réduit pas à la proximité des dates. Dans un cas comme dans l'autre, on a levé l'étendard de la révolution au nom de forces sociales et de doctrines qui avaient été, jusque-là, plutôt les victimes, ou tout au moins les cibles, des révolutions modernes : dans un cas, les tenants de l'ordre moral et religieux ; dans l'autre, les tenants de l'ordre économique et social.

Chacune de ces deux révolutions allait avoir des répercussions planétaires majeures. Les idées de Mme Thatcher allaient très vite gagner les États-Unis avec l'arrivée de Ronald Reagan à la présidence ; tandis que la vision khomeyniste d'un islam à la fois insurrectionnel et traditionaliste, résolument hostile à l'Occident, allait se propager à travers le monde, prenant des formes très diverses, et bousculant les approches plus conciliantes.

J'aurai l'occasion de revenir sur les différences ainsi que sur les similitudes. Mais je voudrais d'abord ouvrir une brève parenthèse pour prévenir contre toute vision simplificatrice que ce rapprochement pourrait susciter.

En effet, si l'on cherche à comprendre comment l'atmosphère politique et mentale a été « chamboulée » dans le monde entier au cours des dernières décennies, il faut éviter de juger d'emblée la révolution conservatrice en Occident comme une simple « usurpation » de la notion de révolution, vu qu'elle a été, par certains de ses aspects comme par ses conséquences, authentiquement révolutionnaire ; en particulier, elle s'est révélée déterminante dans les avancées technologiques en cours, qui représentent un changement considérable dans l'histoire humaine ; et elle a été tout aussi déterminante dans le décollage économique de la Chine, de l'Inde, comme de nombreux autres pays, ce qui constitue, là encore, une avancée planétaire de première grandeur.

S'agissant de la révolution khomeyniste, il est normal que son aspect résolument traditionaliste, par exemple en matière vestimentaire, soit le premier qui saute aux yeux ; mais il ne doit pas nous faire perdre de vue la radicalité corrosive qui s'est propagée dans le monde musulman à partir de l'exemple iranien, et qui a secoué tous les pouvoirs en place.

La notion de révolution, empruntée par la politique au mouvement des corps célestes, a désigné, depuis le xvie siècle, des événements fort nombreux et divers. De ce fait, plutôt que de s'interroger longuement sur la légitimité de son usage à propos de ce qui s'est produit en 1979 à Téhéran ou à Londres, il faudrait essayer de comprendre les raisons du bouleversement que le monde a connu aux alentours de cette année-là, et qui a conduit à transformer ainsi le sens et le contenu de ce mot.

Ayant apporté ces précisions, je referme la parenthèse pour en revenir aux deux révolutions conservatrices que j'ai mises en exergue.

L'avènement de Mme Thatcher n'aurait pas eu la même importance s'il ne s'inscrivait pas dans un mouvement profond et ample qui allait dépasser très vite les frontières de l'Angleterre. D'abord vers les États-Unis, donc, avec l'élection de Reagan en novembre 1980 ; puis vers le reste du monde. Les préceptes de la révolution conservatrice anglo-américaine seront adoptés par de nombreux dirigeants de droite comme de gauche, parfois avec enthousiasme, parfois avec résignation. Diminuer l'intervention du gouvernement dans la vie économique, limiter les dépenses sociales, accorder plus de latitude aux entrepreneurs et réduire l'influence des syndicats seront considérés désormais comme les normes d'une bonne gestion des affaires publiques.

Un des livres emblématiques de cette révolution est le roman intitulé *Atlas Shrugged*. Œuvre d'une émigrée russe installée aux États-Unis, Ayn Rand, il raconte une grève organisée non par des ouvriers, mais par des entrepreneurs et des « esprits créatifs » qu'exaspèrent les réglementations abusives. Son titre évoque la figure mythologique d'Atlas qui, las de porter la Terre entière sur son dos, finit par secouer vigoureusement les épaules – c'est ce mouvement d'exaspération et de révolte qu'exprime ici le verbe *to shrug*, dont le prétérit est *shrugged*.

Cette fiction à thèse, publiée en 1957 et dont beaucoup de conservateurs américains, partisans d'un « libertarisme » résolument anti-étatiste, avaient fait leur bible, a été rattrapée par la réalité. Le soulèvement des possédants contre les empiétements de l'État redistributeur des richesses ne s'est pas produit de la manière dont la romancière l'avait décrit, mais il a bien eu lieu. Et il a été couronné de succès. Ce qui a eu pour effet d'accentuer fortement les inégalités sociales, au point de créer une petite caste d'hypermilliardaires, chacun d'eux plus riche que des nations entières.

L'autre « révolution conservatrice », celle d'Iran, allait avoir, elle aussi, des répercussions significatives dans l'ensemble de la planète.

Elle n'était, en aucune manière, un soulèvement des riches contre les pauvres – bien au contraire, elle s'est faite au nom des miséreux, des « damnés de la terre », et en cela, elle s'inscrivait dans le prolongement de bien d'autres révolutions du xxᵉ siècle. Ce qui la rendait atypique, c'est qu'elle était menée par un clergé socialement conservateur, exaspéré par des réformes qui, de son point de vue, allaient à l'encontre de la religion et des valeurs traditionnelles.

2

À ces deux révolutions, survenues à trois mois d'intervalle et qui résument par un raccourci saisissant les chamboulements atypiques qui caractérisent notre époque, j'ajouterai deux autres événements, qui ne sont pas moins significatifs, et qui complètent l'esquisse.

En décembre 1978, Deng Xiaoping prenait les rênes du pouvoir à Beijing lors d'une session plénière du Comité central du Parti communiste, inaugurant sa propre « révolution conservatrice ». Jamais il ne l'a appelée ainsi, et elle était certainement fort différente de celle de Téhéran comme de celle de Londres ; mais elle procédait du même « esprit du temps ». Elle était d'inspiration conservatrice, puisqu'elle s'appuyait sur les traditions marchandes ancrées depuis toujours dans la population chinoise, et que la révolution de Mao Zedong avait cherché à extirper. Mais elle était également révolutionnaire, puisqu'elle allait radicalement transformer, en une génération, le mode d'existence du plus grand peuple de la planète ; peu de révolutions dans l'Histoire ont changé en profondeur la vie d'un si grand nombre d'hommes et de femmes en un temps si court.

L'autre événement remarquable, c'est celui qui se déroula à Rome en octobre 1978 avec l'arrivée de Jean-Paul II à la tête de l'Église catholique.

Né en Pologne, Karol Wojtyla alliait un conservatisme social et doctrinal à une combativité de dirigeant révolutionnaire. « N'ayez pas peur ! » lança-t-il aux fidèles rassemblés sur la place Saint-Pierre le jour de son intronisation officielle. « Ouvrez les frontières des États, des systèmes politiques et économiques, les immenses domaines de la culture, de la civilisation et du développement. » Son influence allait se révéler capitale.

Ces quatre bouleversements majeurs, qui s'étaient succédé en tout juste sept mois, d'octobre 1978 à mai 1979, mais dans des environnements culturels et sociaux fort éloignés les uns des autres, avaient-ils quelque chose en commun en dehors de la simple « coïncidence » chronologique ? Est-il concevable que la Curie romaine et le Comité central du Parti communiste chinois, les électeurs britanniques et les manifestants iraniens, aient pu réagir à une même impulsion ?

Avec le recul, je vois principalement deux facteurs qui ont pesé sur l'atmosphère de ces années-là, qui ont affecté, à des degrés divers, tous les pays du monde, et qui ont pu jouer un rôle dans la genèse des quatre événements que je viens d'évoquer. L'un est la crise terminale du régime soviétique ; l'autre est le choc pétrolier.

S'agissant de ce dernier facteur, j'y reviendrai plus longuement dans des chapitres à venir ; je voudrais juste dire ici qu'il a contraint toutes les nations de la planète à s'interroger sur la gestion de leur économie, sur leurs lois sociales, comme sur leurs rapports avec les pays exportateurs de pétrole ; et que pour ceux-ci, qui appartenaient dans leur majorité au monde arabo-musulman, ledit « choc », qui aurait dû assurer leur bonheur, s'est révélé dévastateur, et finalement calamiteux.

S'agissant du premier facteur, il m'apparaît aujourd'hui que nombre d'événements de cette époque-là constituaient des réactions plus ou moins directes, plus ou moins conscientes, plus ou moins réfléchies, aux agissements de « l'homme malade » qu'était devenu le régime soviétique. Un très étrange « malade » qui se voyait encore débordant de vigueur, et croyait ses adversaires aux abois.

*

Quand on se replonge dans les années soixante-dix, on ne peut s'empêcher de trouver pathétique le spectacle de cette superpuissance lancée à corps perdu dans une stratégie de conquêtes, sur tous les continents, alors que sa propre maison, sur laquelle flottaient les étendards ternis du socialisme, du progressisme, de l'athéisme militant et de l'égalitarisme, était déjà irrémédiablement lézardée, et sur le point de s'écrouler.

Pour qui se fiait à l'apparence des choses, l'Union soviétique semblait voler de triomphe en triomphe. Au Vietnam, où le monde communiste et le monde capitaliste s'étaient affrontés sans répit dès la fin de la Seconde Guerre mondiale, le conflit était arrivé à son terme en avril 1975. La partie sud du pays, qui avait constitué jusque-là une république séparée soutenue par les États-Unis, fut conquise par les forces venues du nord, avec le soutien du mouvement communiste local, qui s'appelait lui-même Front national de libération, mais que les Américains appelaient Viet Cong.

Jeune journaliste fasciné comme tant d'autres par ce conflit si emblématique pour ma génération, je m'étais rendu à Saigon afin d'assister à la bataille décisive. Je savais que l'on s'approchait de l'épilogue, mais je n'imaginais pas que les choses allaient évoluer aussi vite. Le 26 mars, jour de mon arrivée, les troupes communistes venaient de prendre Hué, l'ancienne capitale impériale ; une semaine plus tard, elles étaient déjà aux abords de Saigon, sept cents kilomètres plus au sud. Et il était clair que leur progression allait se poursuivre jusqu'au bout.

Je n'avais perçu dans la capitale du Sud aucune volonté de résistance. C'était plutôt la résignation, et même le sauve-qui-peut. Tous ceux qui craignaient la rigueur du régime à venir cherchaient désespérément un moyen de quitter le pays. Du jour au lendemain, la monnaie locale, la piastre, cessa d'avoir cours, plus aucun commerçant n'en voulait. Dans les administrations publiques, on décrochait à la hâte les photos officielles du dernier président sud-vietnamien, le général Thieu, qui s'apprêtait lui-même à partir, et qui allait finir sa vie paisiblement dans le Massachusetts, oublié de tous.

Saigon tomba le 30 avril. Ceux qui ont connu cette époque gardent en mémoire ces scènes pathétiques où des civils et des militaires, réfugiés à l'ambassade américaine, cherchaient à s'accrocher aux derniers hélicoptères pour s'enfuir. Images plus humiliantes encore pour les sauveteurs que pour les rescapés. La « République du Vietnam », que plusieurs présidents américains s'étaient engagés à défendre, fut annexée à la République socialiste du Vietnam, et sa capitale rebaptisée Hô-Chi-Minh-Ville, du nom du dirigeant qui avait défié avec succès la France puis les États-Unis.

Deux semaines plus tôt, Phnom Penh, capitale du Cambodge, avait été prise par des insurgés communistes ; puis ce fut au tour du Laos. La fameuse théorie des dominos, selon laquelle un pays qui tombe en entraîne un autre dans sa chute, puis un autre encore, semblait à l'œuvre. Et l'Union soviétique en était la principale bénéficiaire.

Ce phénomène ne se limitait d'ailleurs pas à l'Indochine. En Afrique, par exemple, où les anciennes puissances coloniales européennes occupaient traditionnellement une place prépondérante, les rapports de force commençaient à changer rapidement. Quand le Portugal, après la « révolution des Œillets » d'avril 1974, décida de donner l'indépendance à ses colonies, les cinq nouveaux États africains qui virent aussitôt le jour furent tous dirigés par des partis d'obédience marxiste ; le plus riche d'entre eux, l'Angola, appela même Fidel Castro à sa rescousse pour faire face à une insurrection, et les troupes cubaines, soutenues par Moscou, débarquèrent par dizaines de milliers sur les côtes africaines à partir de novembre 1975, sans que les États-Unis puissent s'y opposer.

Ainsi, dans les mois qui ont suivi leur victoire hautement

symbolique dans le conflit vietnamien, les Soviétiques avaient enregistré des avancées spectaculaires sur un continent qui apparaissait jusque-là comme une chasse gardée des Occidentaux. Les pays de l'Afrique subsaharienne qui se réclamaient désormais du marxisme étaient de plus en plus nombreux – outre l'Angola, le Mozambique, le Cap-Vert, la Guinée-Bissau et Sao-Tomé-et-Principe, il y avait Madagascar, le Congo Brazzaville, la Guinée Conakry... Il y eut même un bref moment où, dans la corne de l'Afrique, les deux principaux pays, l'Éthiopie et la Somalie, étaient gouvernés par des militaires se réclamant du marxisme-léninisme, tandis que, sur l'autre rive de la mer d'Arabie, le Yémen du Sud, État indépendant dont la capitale était Aden, s'était proclamé « république démocratique populaire » sous l'égide d'un parti de type communiste, doté d'un *politburo*.

C'est dans cette atmosphère d'expansion débridée et de franche euphorie que les dirigeants soviétiques se sont lancés dans une aventure qui se révéla désastreuse et même fatale pour leur régime : la conquête de l'Afghanistan.

Ce pays montagneux, situé entre l'Iran, le Pakistan, la Chine et les républiques soviétiques d'Asie centrale, comptait des mouvements d'obédience communiste, actifs et ambitieux, mais très minoritaires au sein d'une population musulmane socialement conservatrice et farouchement hostile à toute ingérence étrangère. Laissés à eux-mêmes, ces militants n'avaient aucune chance de tenir durablement les rênes du pouvoir. Seule une implication active de leurs puissants voisins soviétiques pouvait modifier le rapport de force en leur faveur. Encore fallait-il que lesdits voisins soient convaincus de la nécessité d'une telle intervention.

C'est justement ce qui arriva à partir du mois d'avril 1978. Irrités par un rapprochement qui s'amorçait entre Kaboul et l'Occident, soucieux de préserver la sécurité de leurs frontières et la stabilité de leurs républiques asiatiques, et persuadés de pouvoir avancer leurs pions en toute impunité, les dirigeants soviétiques donnèrent leur aval à un coup d'État organisé par l'une des factions marxistes. Puis, lorsque des soulèvements commencèrent à se produire contre le nouveau régime, ils dépêchèrent leurs troupes en grand nombre pour les réprimer, s'enfonçant chaque jour un peu plus dans le bourbier.

Comme cela est arrivé si souvent à travers l'Histoire – mais chacun s'imagine que pour lui les choses se passeront autrement –, les dirigeants soviétiques s'étaient persuadés que l'opération de « pacification » qu'ils menaient serait de courte durée, et qu'elle s'achèverait sur une victoire décisive.

Cette grave imprudence stratégique ne s'explique que par l'analyse qu'ils faisaient de l'état d'esprit qui prévalait chez leurs adversaires à ce moment-là. Ils étaient persuadés, en effet, que les États-Unis, profondément traumatisés par leur longue guerre désastreuse au Vietnam, n'avaient nulle envie de se lancer dans de nouvelles aventures extérieures ; et que si les troupes soviétiques se lançaient à l'assaut de l'Afghanistan, les Américains ne chercheraient pas à s'y opposer. Leur impassibilité face à l'envoi des troupes cubaines en Angola n'avait-elle pas démontré qu'ils n'avaient plus aucun appétit pour les confrontations armées ?

Lorsqu'ils promenaient leur regard sur le monde qui les entourait, les dirigeants de Moscou pouvaient supposer qu'ils n'avaient rien à craindre. Ni des États-Unis, donc ; ni de l'Europe occidentale, qui peinait encore à surmonter les conséquences du choc pétrolier ; ni de la Chine, où Mao Zedong était mort en septembre 1976, ouvrant la voie à ce qui semblait devoir être une longue guerre de succession.

De ce fait, les Soviétiques n'avaient pas tort de supposer que personne n'allait se mettre au travers de leur route, et qu'ils pouvaient s'avancer sans grand risque en direction de Kaboul.

3

Mais Moscou avait sous-estimé la capacité de ses adversaires à se ressaisir, et à passer même à la contre-attaque, dans divers domaines, et sur plusieurs théâtres d'opération.

Ce fut notamment le cas de la Grande-Bretagne. À la veille des élections générales de mai 1979, qui devaient porter au pouvoir celle qu'on surnommera « la Dame de fer », le pays se trouvait dans un état déplorable. Des grèves, des émeutes, des coupures de courant, une atmosphère sociale délétère, et le sentiment, chez les travaillistes comme chez beaucoup de conservateurs modérés, que c'étaient là les effets normaux de la crise pétrolière, et qu'on n'avait pas d'autre choix que de « faire avec » en attendant des jours meilleurs. L'image emblématique de cette époque est celle de Piccadilly Circus plongé dans l'obscurité en raison d'un arrêt de travail dans les mines de charbon. Un historien britannique, Andy Beckett, a raconté ces années sombres dans un ouvrage intitulé *When The Lights Went Out* (*Quand les lumières se sont éteintes*).

Lorsqu'elle fit irruption sur la scène nationale, Mme

Thatcher était porteuse d'un autre état d'esprit, et d'un autre discours. Le déclin n'est pas inévitable, disait-elle à ses concitoyens, nous pouvons et nous devons remonter la pente ; il nous faut fixer un cap et le poursuivre sans dévier ni vaciller, quitte à écraser sans ménagement ceux qui se mettraient au travers de la route – à commencer par les syndicats. L'année de son arrivée au pouvoir, près de trente millions de journées de travail avaient été perdues à cause des conflits sociaux.

Le pays n'avait plus d'autre choix que de sombrer ou de rebondir. Comme il l'avait fait à d'autres moments de son histoire, il choisit d'écouter la voix obstinée qui promettait de le conduire, la tête haute, hors de l'impasse, fût-ce au prix de sacrifices douloureux.

De ce sursaut est née la révolution conservatrice. L'un de ses effets fut de mettre fin à la honte qu'éprouvait jusqu'alors la droite dans le débat politique et intellectuel, notamment sur les questions sociales. C'est là une dimension difficile à saisir, et certainement impossible à quantifier, mais elle est essentielle pour comprendre le bouleversement qui s'est opéré dans les mentalités, partout dans le monde.

Lorsqu'une pensée est dominante, ceux qui ne la partagent pas doivent souvent ruser, et louvoyer, et feindre même d'accepter certains de ses principes, pour que leurs objections puissent être entendues. Dans beaucoup de pays européens, ce « promontoire » intellectuel et moral était depuis longtemps occupé par les idées et le vocabulaire de la gauche. L'exemple qui me vient naturellement à l'esprit est celui de mon pays d'adoption, la France. J'y vis depuis plus de quarante ans, et j'ai eu l'occasion d'observer et d'écouter ses politiciens, ses intellectuels, ses universitaires.

Jusqu'aux années quatre-vingt, peu de dirigeants se disaient ouvertement de droite ; ceux qui n'étaient pas de gauche préféraient se dire centristes, et quand il leur arrivait de critiquer les communistes, ils se sentaient obligés de souligner, en préambule, qu'ils n'étaient pas du tout anticommunistes, une épithète jugée infamante, en ce temps-là, et que personne n'avait envie d'assumer. Aujourd'hui, c'est exactement l'inverse : ceux qui sont de droite le proclament fièrement ; et ceux qui souhaitent exprimer une opinion positive sur tel ou tel aspect du communisme se sentent obligés de souligner, en préambule, qu'ils ne sont, en aucune manière, favorables à cette doctrine. J'ai moi-même eu recours à cette précaution verbale quelques pages plus haut...

Pour en revenir à l'Angleterre, on pourrait dire qu'avant la révolution thatchérienne, aucun dirigeant politique de droite ou de gauche n'avait envie d'y apparaître comme un briseur de grève, comme un ennemi des syndicats, comme un être insensible au sort des mineurs et des autres travailleurs aux revenus modestes ; ni de se rendre responsable de la mort d'un détenu faisant la grève de la faim, comme ce fut le cas de l'Irlandais Bobby Sands en 1981. L'apport de la Dame de fer, moralement controversé mais historiquement incontestable, c'est qu'elle a commis sans sourciller tous les « péchés » que la sagesse ordinaire recommandait aux politiciens de ne pas commettre, sans que le Ciel lui tombe sur la tête pour autant.

Son assaut contre la « honte » de la droite n'était, bien entendu, qu'une étape. Avant que le conservatisme radical ne devienne la « pensée dominante » de notre époque, il a fallu qu'il triomphe aux États-Unis. Ce qui allait être accompli avec brio dans les dix-huit mois qui suivirent l'avènement de Mme Thatcher. Politiquement, par Ronald Reagan ; et en sous-main par les *think tanks* conservateurs qui élaborèrent avec habileté les mots et les idées qui allaient permettre au candidat républicain de s'imposer.

Cette bataille des idées n'était pas gagnée d'avance pour la droite américaine. Il n'allait pas de soi que l'électorat populaire accepterait d'appuyer des réformes qui favorisaient surtout les plus riches. L'argument qui fut martelé par Reagan, c'est que le clivage n'était pas entre ceux qui gagnaient beaucoup d'argent et ceux qui en gagnaient moins, mais entre ceux qui travaillaient pour vivre et ceux qui profitaient du système. L'image forte qui revenait dans ses discours était celle de la *welfare queen*, personnage fictif qui était censé représenter une femme vivant dans le confort, et quasiment dans le luxe, grâce aux allocations publiques et sans jamais avoir à travailler. La description était si réaliste que les auditeurs avaient le sentiment qu'il s'agissait d'une personne réelle ; et s'il faut en croire Paul Krugman, prix Nobel d'économie, les propos de Reagan contenaient un message implicite et subliminal à l'adresse de ses nombreux électeurs blancs, notamment ceux des États du Sud, pour qui la *welfare queen* était forcément une femme noire.

Que cet aspect racial des choses soit réel ou fantasmé, il ne fait pas de doute qu'une méfiance tenace s'est ancrée, depuis, dans l'opinion américaine, contre tous ceux que l'on perçoit comme les représentants d'un système jugé immoral, où l'on prend l'argent de ceux qui travaillent pour le donner à ceux qui ne travaillent pas. De ce fait, la montée des inégalités, qui n'a cessé de s'accentuer depuis la fin des années soixante-dix, et qui aurait sûrement suscité, en d'autres temps, une hostilité militante à l'endroit des nantis et une adhésion croissante aux idées de la gauche, s'est plutôt traduite, dans l'Amérique des dernières décennies, par un renforcement et une radicalisation de l'opinion conservatrice.

Il n'est pas exclu que les attitudes se modifient à l'avenir ; mais à l'heure où j'écris ces lignes, Ronald Reagan et Margaret Thatcher apparaissent toujours, aux yeux de la plupart de leurs concitoyens, comme les héros d'un sursaut salutaire. Et les préceptes qu'ils ont incarnés continuent à prévaloir, aux quatre coins de la planète.

*

La montée des idées issues de la révolution conservatrice anglo-américaine aux dépens de celles de la gauche allait rendre le modèle soviétique de moins en moins attrayant au cours des décennies suivantes, et freiner son expansion planétaire. Dans l'immédiat, néanmoins, ce furent d'autres déconvenues qui brisèrent l'élan des dirigeants de Moscou, et contribuèrent à l'affaiblissement de leur régime.

Il y en eut plusieurs, dans diverses parties du monde, et dans divers domaines – politique, militaire, médiatique, idéologique, économique, technologique, etc. J'en évoquerai ci-après quelques-unes, qui me semblent plus significatives que d'autres.

La première eut pour théâtre l'Indochine. Moscou y avait remporté, pourtant, des succès fulgurants. Mais ceux-ci finirent par susciter une riposte cinglante, et de là où on ne l'attendait pas.

Lorsque j'ai évoqué la manière dont les trois régimes soutenus par les Américains dans cette partie du monde s'étaient écroulés, l'un après l'autre, comme des dominos, j'ai omis de préciser que les communistes qui avaient triomphé n'étaient pas tous de la même obédience. Alors qu'au Vietnam et au Laos, les vainqueurs étaient alliés à l'Union soviétique, la faction qui avait pris le dessus au Cambodge se réclamait du maoïsme et avait à sa tête un curieux personnage se faisant appeler « Pol Pot », qui ne cachait pas sa méfiance envers Hanoï comme envers Moscou. Très vite, son régime allait se distinguer par un fanatisme paranoïaque. Il commença par vider la capitale de sa population, s'acharna sur tous ceux qui possédaient la culture et le savoir, et commit en quatre petites années l'un des génocides les plus démentiels de l'histoire moderne.

C'est donc avec quelque soulagement que le monde assista à l'offensive brève et efficace lancée contre les

Khmers rouges par l'armée vietnamienne, qui lui permit de conquérir Phnom Penh le 7 janvier 1979. Les troupes de Pol Pot avaient abandonné la capitale la veille sans opposer de résistance, pour se replier dans les campagnes.

En les chassant du pouvoir, les Vietnamiens faisaient d'une pierre deux coups : ils parachevaient leur hégémonie régionale, tout en méritant la gratitude d'une opinion internationale outrée par la sauvagerie du régime déchu.

Cependant, la Chine voyait les choses d'un autre œil. Sans doute le nouvel homme fort, Deng Xiaoping, n'avait-il aucune sympathie pour le maoïsme dévoyé de Pol Pot – ni même, d'ailleurs, pour d'autres formes de maoïsme. Mais il ne pouvait laisser les Vietnamiens et leurs protecteurs soviétiques régner en souverains sur toute l'Indochine, et abattre impunément les alliés de Pékin, aussi exécrables et incontrôlables qu'ils fussent. Il décida donc de lancer une véritable « expédition punitive ».

Le 17 février 1979, six semaines après la chute de Phnom Penh, deux cent mille soldats de l'Armée populaire envahirent le territoire vietnamien et avancèrent en direction du sud, occupant plusieurs localités et démolissant diverses installations économiques et militaires. Le 6 mars, la Chine annonça que la route de Hanoï lui était désormais ouverte, mais que ses troupes n'allaient pas poursuivre leur progression, et qu'elle espérait que la « leçon » infligée aux Vietnamiens avait été suffisante. Ces derniers proclamèrent, pour leur part, qu'ils avaient « repoussé l'envahisseur ».

S'il faut en croire les observateurs extérieurs, il semble que les Vietnamiens, aguerris par de nombreuses années de conflit, se soient mieux battus que leurs adversaires, dont l'armée n'avait plus participé à de vraies batailles depuis la guerre de Corée, au début des années cinquante. Mais l'objectif de Deng n'était pas militaire. Au lendemain de son avènement, il voulait démontrer aux Vietnamiens que l'Union soviétique n'enverrait pas ses troupes à leur secours s'ils étaient attaqués, et qu'ils auraient donc tort de considérer qu'ils pouvaient agir à leur guise. Et il adressait également un message aux États-Unis, leur disant qu'ils avaient désormais en Asie un interlocuteur fiable, et peut-être même un partenaire potentiel ; pour les Américains, qui ne s'étaient pas encore remis de la défaite que leur avait infligée Hanoï, l'expédition punitive ordonnée par le nouveau dirigeant chinois était la bienvenue.

Quelque chose d'important venait manifestement de se produire sur la scène internationale, dont Washington ne pouvait que se féliciter, et dont Moscou devait s'inquiéter au plus haut point.

4

Un autre événement que je décrirais aussi comme
une « déconvenue » pour les Soviétiques – même si, à
l'époque, ils ne l'ont sans doute pas perçu ainsi –, c'est
le meurtre d'Aldo Moro, dirigeant éminent de la démocratie chrétienne italienne, qui militait pour un « compromis historique » entre sa famille politique et le Parti
communiste. Enlevé par les Brigades rouges dans une
rue de Rome le 16 mars 1978, il fut retrouvé assassiné,
dans le coffre d'une voiture, le 9 mai.

Même aujourd'hui, alors que tant d'années se sont
écoulées, il est difficile de dire avec certitude qui a
ordonné le crime, et quel objectif précis était visé.
Beaucoup de théories ont été avancées, que je ne chercherai pas ici à démêler. Les tueurs obéissaient-ils à une
officine secrète italienne, à des « services » étrangers, ou
seulement à leurs propres délires idéologiques ? Leur but
était-il d'empêcher le parti catholique de légitimer les
communistes et de leur ouvrir ainsi la route du pouvoir ? Ou, à l'inverse, d'empêcher les communistes de se
ramollir et de trahir les idéaux du marxisme-léninisme ?
Le débat n'a jamais été tranché de manière définitive.

Une chose me paraît aujourd'hui certaine : par-delà le meurtre d'un homme, c'est une utopie prometteuse qui venait d'être jetée dans les poubelles de l'Histoire.

Depuis des décennies, elle flottait dans l'air. Née, chez certains, de la crainte d'un cataclysme nucléaire, et chez d'autres du désir candide de voir l'humanité enfin réconciliée, elle se fondait sur une interrogation pleine d'espoir : et si le communisme et le capitalisme, au lieu de continuer à se combattre avec acharnement sur toute l'étendue de la planète, se rapprochaient progressivement l'un de l'autre et parvenaient ensemble à une synthèse – le premier se montrant plus soucieux de liberté et de démocratie, le second introduisant une plus grande dose de justice sociale ? Ne serait-ce pas alors la fin de cette épuisante confrontation des blocs, qui menaçait d'anéantir l'humanité entière ?

Une telle perspective n'était pas forcément déraisonnable. Des esprits brillants y ont cru – des écrivains, des philosophes, des historiens, et aussi quelques dirigeants politiques. Parmi lesquels, justement, Aldo Moro. Son pays pouvait même légitimement aspirer, en la matière, au rôle de pionnier. Patrie des papes et cœur du monde catholique, l'Italie avait aussi le parti communiste le plus puissant et le plus respecté du monde occidental, celui qui jouissait du plus grand prestige intellectuel ; sous l'égide de son secrétaire général Enrico Berlinguer, un homme issu de la petite noblesse sarde plutôt que de la classe ouvrière, il s'était prononcé publiquement pour l'introduction du multipartisme et de la liberté d'expression dans les pays de l'Est. Aldo Moro ne pouvait espérer un meilleur partenaire pour réaliser son rêve d'un « compromis historique » entre les deux systèmes qui se disputaient la planète.

Mais ce rêve n'était certainement pas du goût des dirigeants soviétiques. En parlant du meurtre du dirigeant démocrate-chrétien comme d'une déconvenue pour eux, je me situe du point de vue de l'observateur extérieur et tardif qui peut contempler à loisir les événements des décennies suivantes ; qui sait donc que les héritiers de Lénine étaient à la veille d'une débâcle politique et morale dont ils ne se relèveraient pas ; et que la ligne médiane prônée par Moro et Berlinguer était, pour les communistes du monde entier, non pas un piège auquel ils devaient se soustraire, mais très exactement l'inverse : leur dernière chance d'échapper au piège mortel qui commençait à se refermer sur eux.

Cela dit, je ne suis pas sûr que ladite chance existait encore en 1978. Peut-être que le système était déjà irrécupérable – depuis l'étranglement du Printemps de Prague en 1968, depuis l'écrasement de l'insurrection hongroise en 1956, ou même bien avant. Ce qui est certain, c'est qu'après la mort du « compromis historique » à l'italienne, plus aucune opportunité ne s'est présentée pour que la guerre froide se termine par un « match nul ». La défaite du « camp socialiste » était en train de devenir inéluctable.

Aujourd'hui, sans mérite, nous le savons ; en 1978, les Soviétiques ne le savaient pas.

Pourtant, cette année-là allait leur apporter une autre déconvenue majeure. Et cette fois encore, hasard des lieux et des symboles, à Rome, entre toutes les villes.

J'ai déjà évoqué, sans trop m'y attarder, l'élection en octobre 1978, pour la première fois depuis plus de quatre cent cinquante ans, d'un pape non italien, polonais en l'occurrence, et qui avait passé l'essentiel de sa vie de prêtre sous un régime d'obédience soviétique. Il n'est pas sans importance que l'avènement de Jean-Paul II se soit produit au moment où un autre Polonais, tout aussi hostile au communisme, occupait à la Maison Blanche le poste-clé de conseiller à la Sécurité nationale, avec pour mission d'aider le président des États-Unis à élaborer sa stratégie et à la mettre en œuvre.

Zbigniew Brzezinski, dit « Zbig », n'a jamais caché que ses origines constituaient un élément déterminant de sa vision politique. Quand le président Jimmy Carter prit ses fonctions en 1977, son conseiller le persuada que, pour sa première visite à l'étranger, il devrait se rendre à Varsovie. Dès son arrivée, et malgré l'opposition de l'ambassadeur des États-Unis, il insista pour rencontrer le plus farouche adversaire des autorités communistes, le cardinal Wyszynski, primat de l'Église polonaise, qu'il assura de son soutien.

Zbig rêvait d'ébranler, de fragiliser, et idéalement de démanteler l'empire édifié par les Soviétiques derrière « le Rideau de fer ». À cet objectif, qui paraissait exagérément ambitieux, le conseiller se consacra avec passion, et avec habileté, au cours du mandat unique de « son » président, et il serait raisonnable de dire que la « connexion polonaise » qu'il y eut en ces années-là entre Washington et le Vatican a effectivement permis de desserrer l'emprise du « grand frère » russe sur ses vassaux d'Europe orientale ; notamment après l'émergence, en 1980, du mouvement Solidarnosc dirigé par Lech Walesa.

*

L'ère du président Carter est restée dans les mémoires comme une période de faiblesse et d'indécision. C'est ainsi que le candidat Reagan l'avait présentée, et certains événements étaient venus confirmer cette impression négative, notamment l'occupation de l'ambassade des États-Unis à Téhéran, et les images humiliantes des otages américains aux yeux bandés.

Avec le recul, cette mollesse ne se confirme pas, bien au contraire. Pas sur le front de la guerre froide, en tout cas. Face à Moscou, la riposte de l'administration Carter a été subtile, discrète, feutrée. Mais redoutablement efficace. Notamment en Afghanistan, où elle a façonné un piège mortel dans lequel le régime soviétique s'est laissé prendre, et dont il n'a plus jamais su sortir.

En juillet 1979, alors que Kaboul était aux mains des communistes afghans qui y avaient pris le pouvoir, et que des mouvements armés commençaient à s'organiser pour s'opposer à eux au nom de l'islam et des traditions locales, Washington avait réagi en mettant en place, dans le secret, une opération dont le nom de code était « Cyclone », et qui visait à soutenir activement les rebelles. Avant que la décision ne fût prise, certains responsables américains s'étaient demandé avec inquiétude si une telle opération n'allait pas pousser Moscou à envoyer ses troupes dans le pays. Mais cette perspective n'inquiétait nullement Brzezinski. Bien au contraire, il l'appelait de ses vœux. Son espoir était justement que les Soviétiques, incapables de contrôler la situation à travers leurs alliés locaux, soient contraints de franchir eux-mêmes la frontière, tombant ainsi dans le piège qu'il leur tendait, celui d'un « Vietnam » à rebours, où les États-Unis abandonneraient aux Russes le rôle ingrat de « gendarmes », et s'emploieraient eux-mêmes à les harceler par rebelles interposés.

Brzezinski n'était pas peu fier de son stratagème, mais c'est seulement après la fin de la guerre froide qu'il se sentit libre d'en parler. « Selon la version officielle de l'histoire, dira-t-il dans une interview en 1998, l'aide de la CIA aux moudjahidines a débuté courant 1980, c'est-à-dire après que l'armée soviétique eut envahi l'Afghanistan, le 24 décembre 1979. Mais la réalité, gardée secrète, est tout autre : c'est en effet le 3 juillet 1979 que le président Carter a signé la première directive sur l'assistance clandestine aux adversaires du régime prosoviétique de Kaboul. Et ce jour-là j'ai écrit une note au président dans laquelle je lui expliquais qu'à mon avis cette aide allait entraîner une intervention militaire des Soviétiques. »

À son interviewer – Vincent Jauvert, du *Nouvel Observateur* –, qui lui demandait s'il ne regrettait rien, il rétorqua : « Regretter quoi ? Cette opération secrète était une excellente idée. Elle a eu pour effet d'attirer les Russes dans le piège afghan, et vous voulez que je le regrette ? Le jour où les Soviétiques ont officiellement franchi la frontière, j'ai écrit au président Carter, en substance : "Nous avons maintenant l'occasion de donner à l'URSS sa guerre du Vietnam." De fait, Moscou a dû mener en Afghanistan, pendant presque dix ans, une guerre exténuante, qui a entraîné la démoralisation et finalement l'éclatement de l'empire soviétique. »

Dès qu'elle fut informée de l'invasion de l'Afghanistan, la Maison Blanche entreprit d'organiser la riposte, sur tous les plans. Carter annonça des sanctions commerciales et diplomatiques, et appela toutes les nations à boycotter les jeux Olympiques de Moscou, prévus pour l'été 1980.

Cheville ouvrière de cette campagne, Brzezinski avait déjà commencé à parcourir le monde, de la Chine à l'Égypte et de l'Angleterre au Pakistan, pour obtenir l'appui de tous ceux que l'invasion soviétique inquiétait. Et dès le lancement de l'opération Cyclone, il avait réussi à obtenir de plusieurs pays, notamment l'Arabie saoudite, une aide concrète pour les moudjahidines, en argent, en armes, et en hommes.

L'afflux des combattants étrangers vers l'Afghanistan, qui avait commencé quelques mois plus tôt, allait désormais s'intensifier, notamment en provenance du monde arabe. Fin 1979 arriva sur place l'étudiant saoudien Oussama Ben Laden, alors âgé de vingt-deux ans. D'autres l'y avaient précédé ; bien d'autres allaient l'y suivre. Dans de nombreux pays, on se mit à évoquer avec inquiétude ces « Afghans arabes », militants armés d'une « internationale » d'un genre nouveau, que l'on apercevait un jour dans les faubourgs d'Alger, et la semaine suivante à Sarajevo. Mais l'on croyait alors qu'il s'agissait d'un phénomène passager, d'un « effet collatéral » de la guerre en cours, et qui allait s'estomper dès qu'elle se terminerait.

Quand le militantisme islamiste commença à se propager sur l'ensemble de la planète, en s'attaquant surtout, et avec une rare férocité, à des cibles occidentales, bien des gens se demandèrent si l'Amérique, obnubilée par sa lutte contre le communisme, n'avait pas joué à l'apprenti sorcier en favorisant l'émergence de forces qui allaient se retourner contre elle. Mais il serait déraisonnable de juger les comportements d'hier en fonction de ce que nous savons aujourd'hui. De nos jours, l'Union soviétique n'existe plus ; du temps où elle occupait l'Afghanistan, elle possédait encore une puissance redoutable, matérialisée par des milliers d'ogives nucléaires capables d'anéantir la planète entière. Jamais les États-Unis n'avaient eu affaire à un tel ennemi, et la priorité pour tous leurs dirigeants était de le combattre, de le contrer, de l'affaiblir, par n'importe quel moyen. Aucune autre menace ne pouvait les détourner de cet objectif prioritaire, et certainement pas celle – si lointaine, si vague, si improbable à cette époque-là – de ce qu'on appellerait, vingt ans plus tard, le radicalisme violent, ou le terrorisme.

Mais s'il est difficile de reprocher aux responsables américains d'avoir privilégié la lutte à outrance contre la superpuissance rivale, il n'en reste pas moins vrai qu'ils ont effectivement joué aux apprentis sorciers en favorisant l'émergence d'un phénomène inédit, complexe, insaisissable, déconcertant, et qu'ils n'allaient plus pouvoir maîtriser.

5

Lorsque j'essaie de faire le bilan du xxᵉ siècle, il m'apparaît qu'il fut le théâtre de deux « familles » de calamités, l'une engendrée par le communisme, l'autre par l'anticommunisme.

À la première appartiennent toutes les exactions commises au nom du prolétariat, du socialisme, de la révolution, ou du progrès ; les épisodes en furent très nombreux, sous tous les cieux – des procès de Moscou et des famines d'Ukraine aux outrances nord-coréennes en passant par le génocide cambodgien. À la seconde « famille » appartiennent les exactions commises au nom de la lutte contre le bolchevisme. Là encore, les épisodes furent innombrables, le plus dévastateur étant, bien sûr, le cataclysme planétaire causé par la « peste brune » du fascisme et du nazisme.

La perception des différents crimes a connu bien des fluctuations. Dans l'immédiat après-guerre, la plupart des historiens jugeaient excessif, inconvenant, et même suspect, de mettre sur le même plan les crimes du régime hitlérien et ceux du régime soviétique. Et si l'image de Staline avait fini par se ternir, celle de son prédécesseur, Lénine, était restée longtemps intacte.

La stature de Mao Zedong a connu, elle aussi, des hauts et des bas. Ses égarements spectaculaires, comme « la grande révolution culturelle prolétarienne », avaient été encensés en leur temps par des intellectuels de renom. À présent, ils sont jugés très sévèrement, mais « le grand timonier » n'a pas connu la même disgrâce que « le petit père des peuples ». Aucune « démaoïsation » notoire n'est intervenue, et si ses successeurs se sont soigneusement écartés de sa ligne, ils ont conservé son mausolée sur la place Tienanmen, surtout parce qu'ils voient en lui un symbole de continuité politique et de stabilité.

C'est seulement quand la guerre froide s'est conclue par la faillite du modèle collectiviste et l'éclatement de l'Union soviétique qu'il est devenu acceptable de moquer le « petit livre rouge », de comparer Staline à Hitler, et de remettre en cause l'image de Lénine. On a cessé de voir en celui-ci le fondateur respectable d'un pouvoir socialiste que ses héritiers avaient perverti ; on lui attribue désormais une responsabilité majeure dans tout ce qui s'est passé depuis la révolution d'Octobre, laquelle est ravalée, par certains historiens, au rang d'un vulgaire coup d'État, audacieux, certes, mais qui n'avait rien d'un soulèvement populaire.

De cela, il ne faudrait pas s'émouvoir, c'est un juste retour des choses. Le communisme a eu sa chance, plus que toute autre doctrine, et il l'a gaspillée. Il aurait pu faire triompher ses idéaux, et il les a déconsidérés. Longtemps on l'a jugé avec trop de clémence, et maintenant on le juge avec sévérité.

Peut-on en conclure qu'à l'issue de ce réajustement de perspective, notre vision des crimes du XXᵉ siècle est devenue adéquate, et équilibrée ? Pas tout à fait, hélas. S'agissant des exactions commises par les régimes communistes, on est en voie de balayer les dernières opacités et les ultimes illusions. Il en est de même pour les exactions commises par le nazisme, par le fascisme, comme par ceux qui tournaient dans leur orbite dans les années trente et quarante. Les historiens continueront à fouiller, à réfléchir, à relater et à interpréter, comme leur discipline les invite à le faire ; mais il est raisonnable de considérer que l'image d'ensemble que nous avons de la première partie du siècle correspond, pour l'essentiel, à la réalité.

En revanche, notre vision demeure incomplète, et parfois carrément biaisée, quand il s'agit des crimes perpétrés durant la guerre froide, entre le milieu des années quarante et le début des années quatre-vingt-dix. N'y avait-il pas eu, à la fin de la Seconde Guerre mondiale, une complaisance certaine envers les exactions commises par les vainqueurs – celles de Staline, bien entendu, mais également les tueries massives perpétrées par les Occidentaux à Dresde ou à Hiroshima ? La fin de la guerre froide a donné lieu à un phénomène similaire. Si plus personne ne met en doute les monstruosités commises par les régimes qui se réclamaient du marxisme-léninisme – en Hongrie, en Éthiopie, au Cambodge ou à Cuba –, ce qui a été commis au nom de la lutte contre le communisme est souvent encore considéré, sinon comme une « chirurgie » nécessaire, du moins comme un « effet collatéral », regrettable sans doute, mais inévitable, et survenu dans la poursuite d'une cause juste.

Ce que je viens de dire mérite d'être nuancé. La complaisance envers ces exactions n'est pas systématique. Ainsi, la répression sauvage qui fut menée contre les marxistes par certaines dictatures de droite, comme celle de Pinochet au Chili, ou celles des militaires argentins et brésiliens, sont largement dénoncées. Et la « chasse aux sorcières » conduite dans les années cinquante par le sénateur Joseph McCarthy est un thème récurrent du cinéma américain comme de la littérature. Mais dès qu'on aborde les crimes commis, au nom de l'anticommunisme, contre les élites du monde musulman, les consciences s'engourdissent.

*

J'ai eu l'occasion d'évoquer le Parti communiste indonésien, en soulignant qu'il fut, dans mon enfance, le plus important au monde après ceux de la Chine et de l'Union soviétique. Il allait être victime, en 1965 et 1966, d'une entreprise d'anéantissement massif et systématique, qui fera au moins cinq cent mille morts, et sans doute beaucoup plus encore. Des cadres, des enseignants, des étudiants, des artistes, des syndicalistes seront impitoyablement massacrés, souvent avec leurs familles. Des documents de la CIA, rendus publics en 2017, ont confirmé ce que les chercheurs savaient déjà, à savoir que les États-Unis ont participé activement aux tueries, allant jusqu'à fournir aux escadrons de la mort les listes des personnes qu'il fallait éliminer.

Tout aussi grave que les massacres eux-mêmes est le fait d'avoir anéanti une élite intellectuelle aux aspirations modernistes et laïques, pour ne laisser, dans ce grand pays musulman, que des militaires corrompus faisant face à des militants religieux de plus en plus extrémistes. On a l'habitude de réserver le terme de « génocide » à la destruction méthodique d'un groupe humain – peuple, ethnie, communauté religieuse. Aucun équivalent n'existe pour décrire le massacre de millions de personnes porteuses d'une même idéologie. Mais peu importent les appellations... Ce que l'Occident a étranglé en Indonésie, au nom de la lutte contre le communisme, c'est la possibilité qu'avait cette grande nation à majorité musulmane de connaître un avenir de modernité, de progrès, de diversité, de pluralisme.

Pourtant, ce crime, en dépit de son ampleur et de ses lourdes conséquences, n'a jamais suscité beaucoup d'indignation à travers le monde, et ceux qui l'ont perpétré, qu'ils soient indonésiens ou américains, n'ont jamais été inquiétés. On l'a tout simplement passé par pertes et profits.

Cet exemple n'est pas le seul. L'Iran a subi à son tour, dans les années cinquante, une calamité similaire, lorsque le régime patriotique du docteur Mossadegh, qui était porteur d'idéaux modernistes et démocratiques, et dont les revendications concernant les revenus pétroliers relevaient de la justice la plus élémentaire, fut renversé par un coup de force orchestré par les services secrets américains et britanniques – là encore, ce ne sont pas des allégations, mais des faits avérés, documents à l'appui, et que les coupables ne cherchent plus à nier.

On prit prétexte du fait qu'il y avait quelques marxistes dans l'entourage de Mossadegh pour présenter cette opération comme un épisode de la lutte contre le communisme, alors que l'unique motivation du coup d'État était de perpétuer le pillage éhonté de la fortune pétrolière, en ne laissant que des miettes à la population locale. Le résultat fut, comme chacun le sait aujourd'hui, de préparer l'émergence d'une révolution islamique radicalement hostile à l'Occident.

Ce ne sont là que des exemples, parmi tant d'autres, des effets pervers de l'anticommunisme tel qu'il fut pratiqué dans le monde arabo-musulman du temps de la guerre froide. Partout il a sapé les chances d'une modernisation sociale et politique, partout il a alimenté le ressentiment et préparé la voie au fanatisme et à l'obscurantisme. Ces faits me reviennent à l'esprit chaque fois que j'entends dire, à propos des sociétés musulmanes, qu'elles seraient, de par leur nature même et de par leur religion, allergiques à la laïcité comme à la modernité. De telles explications, fournies a posteriori, ne sont ni pertinentes ni honnêtes. De mon point vue, c'est l'évolution des sociétés humaines qui détermine leur lecture des textes sacrés. Et ce sont les vicissitudes de l'Histoire qui déterminent la manière dont les peuples vivent et interprètent leurs croyances.

J'ai dit que les régimes communistes avaient déconsidéré pour longtemps les idées universelles qu'ils étaient censés promouvoir. Je me dois d'ajouter que les puissances occidentales ont, elles aussi, abondamment discrédité leurs propres valeurs. Non parce qu'elles ont combattu avec acharnement leurs adversaires marxistes ou tiers-mondistes – cela, on pourrait difficilement le leur reprocher ; mais parce qu'elles ont instrumentalisé avec cynisme les principes universels les plus nobles, au service de leurs ambitions et de leurs avidités ; et, plus que cela encore, parce qu'elles se sont constamment alliées, particulièrement dans le monde arabe, aux forces les plus rétrogrades, les plus obscurantistes, celles-là mêmes qui allaient un jour leur déclarer la plus pernicieuse des guerres.

Le spectacle affligeant que la planète présente en ce siècle est le produit de toutes ces faillites morales, et de toutes ces trahisons.

6

Que de fois, ces dernières années, le mot de « régression » m'est venu spontanément aux lèvres ! En entendant parler d'un égorgement au couteau, de l'enlèvement d'un groupe d'écolières et de leur réduction en esclavage, du dynamitage d'un monument antique, ou de la résurgence de doctrines haineuses que l'on croyait tombées pour toujours en disgrâce, n'est-ce pas à une régression morale que l'on songe ?

Mais cette notion est inadéquate. Et si je continue à l'employer quelquefois par impatience, par rage ou par dépit, je la sais approximative, et quelque peu trompeuse. On ne retourne pas vraiment « à l'Âge de pierre », ni « au Moyen Âge », ni « aux pires temps de l'Inquisition », ni « aux années trente », ni même « au temps de la guerre froide ». L'Histoire ne fonctionne pas ainsi. Jamais on ne revient en arrière, jamais on ne retrouve l'environnement matériel ou mental d'une époque antérieure. La marche du temps nous fait toujours pénétrer dans des zones nouvelles, mal explorées, peu balisées, et qui ne ressemblent qu'en apparence à celles qu'ont traversées les générations précédentes.

Même les comportements les plus passéistes ne peuvent

être interprétés que dans le contexte d'aujourd'hui ; leur lien avec le passé est illusoire. Les âges d'or sont toujours des mystifications tardives, au service de projets politiques ou idéologiques. Et c'est aussi le cas de tous les moments forts de l'histoire humaine, qu'ils soient perçus comme idylliques ou calamiteux.

C'est en gardant tout cela à l'esprit que je me penche à nouveau sur « l'inversion » qui s'est produite aux alentours de l'année 1979, quand diverses forces conservatrices ont levé l'étendard de la révolution, alors que les tenants du progressisme étaient acculés à la défensive.

En évoquant ce phénomène pour la première fois, j'avais précisé que ces « révolutions », aussi paradoxales qu'elles fussent, ne pouvaient être écartées d'un revers de main comme illégitimes ou usurpatrices. Ni simplement jugées comme une régression, sans autre forme de procès. Bien qu'elles suscitent, chez moi comme chez tant d'autres de mes contemporains, des indignations et des inquiétudes, elles représentent un phénomène majeur de notre époque et méritent donc d'être considérées avec attention, avec discernement, et avec le souci de faire le tri entre leurs apports et leurs effets pervers, qu'il n'est pas toujours facile de distinguer.

Ces « révolutions » se sont accompagnées de certaines transformations significatives dans les attitudes de nos contemporains. L'une des plus notables concerne la perception que l'on a désormais des autorités publiques et de leur rôle dans la vie économique.

Rares sont ceux qui vantent encore les vertus du dirigisme, ou qui mettent en doute la primauté des lois du marché. La plupart des responsables politiques croient désormais à la nécessité de libérer les énergies, notamment celles des entreprises et des entrepreneurs, des divers carcans susceptibles de les entraver.

En Grande-Bretagne et aux États-Unis, les deux pays occidentaux qui furent les pionniers de la révolution conservatrice, ce dont on voulait « se libérer », c'était avant tout l'État-providence, à savoir la propension des autorités à prélever toujours plus d'impôts et à augmenter les aides sociales, afin de réduire l'écart entre les nantis et les défavorisés. En Chine, comme dans les autres pays qui avaient appliqué quelque temps les préceptes du « socialisme scientifique », ce dont on éprouvait le besoin de se débarrasser, c'était la gestion centralisée, dogmatique, bureaucratique, de l'économie, qui avait partout conduit à l'inefficacité, à la corruption, à la démoralisation généralisée, et aux pénuries chroniques. De ce fait, Deng Xiaoping n'avait pas les mêmes priorités que Margaret Thatcher ou Ronald Reagan ; mais il y avait entre eux une convergence certaine, puisqu'ils avaient tous les trois pour objectif ultime de bâtir une économie plus dynamique, plus rationnelle, plus productive et plus compétitive.

C'est évidemment à partir de Washington et de Londres que la primauté de l'économie de marché s'est imposée à travers le monde. Mais il ne faudrait pas sous-estimer en la matière le rôle emblématique qu'a joué la réussite fulgurante de la Chine.

Pendant des décennies, de nombreux pays de ce qu'on

appelait « le tiers-monde » avaient été attirés par le socialisme étatique, qui promettait de les sortir du sous-développement par d'autres voies que celles de l'Occident. Bien des dirigeants y avaient cru, en Asie, en Afrique et en Amérique latine, espérant se démarquer ainsi des anciennes puissances coloniales ainsi que des États-Unis. Ils allaient tous découvrir, au bout d'un certain nombre d'années, que le système fonctionnait de travers, qu'il ne tenait pas ses promesses, et qu'il les avait conduits à leur ruine.

Ils s'étaient retrouvés alors dans l'impasse, persuadés d'avoir fait fausse route mais n'osant pas l'admettre et ne sachant pas comment s'en sortir. Il a fallu que la plus grande nation communiste se convertisse à l'économie de marché, et qu'elle accomplisse, dans la foulée, l'un des plus étonnants miracles de l'histoire humaine, pour que la voie du socialisme scientifique soit considérée comme définitivement obsolète.

Sur le ring où, depuis tant d'années, les deux doctrines se battaient jusqu'au sang, c'est l'arbitre chinois, nommément Deng Xiaoping, qui a levé le bras du boxeur capitaliste pour le proclamer gagnant.

*

Lorsqu'on passe en revue les conséquences globales de cette première transformation enclenchée par les révolutions conservatrices, on ne peut sûrement pas l'assimiler tout entière à une vulgaire « régression ». Par certains côtés, elle aura été authentiquement révolutionnaire.

Jamais, auparavant, le capitalisme n'avait su ni voulu

transmettre son savoir-faire et son dynamisme à des partenaires importants issus d'autres cultures. Et là, en quelques décennies, sous l'étendard d'une politique qui ne prônait d'autre « libération » que celle des flux financiers et commerciaux, une injustice vieille de plusieurs siècles a commencé à être réparée. Le savoir-faire de l'Occident industrialisé s'est propagé dans toutes les directions, transformant radicalement le paysage matériel et humain de la planète entière. L'une après l'autre, les grandes nations du Sud ont résolument emprunté la voie qui pouvait les sortir du sous-développement et les débarrasser des fléaux humiliants qu'il charrie – l'ignorance, l'incompétence, la malnutrition, l'insalubrité ou les épidémies.

Bien sûr, la route est longue, mais à présent l'on sait, exemples à l'appui, que tout est possible, et que seuls resteront sur le bord du chemin ceux qui ne trouveront pas en eux la volonté et la sagesse d'avancer, de s'adapter et de bâtir.

Aucune larme ne devrait donc être versée sur le défunt système dirigiste. Nulle part il n'avait tenu ses promesses, ni dans l'ancien « tiers-monde », ni dans l'ancien « camp socialiste » ; partout il s'était montré inconséquent, partout il avait favorisé les dérives autoritaires et la formation de fausses élites répressives et parasitaires. De ce fait, il méritait d'être sévèrement sanctionné, et même de tomber, pour toujours, dans la proverbiale « poubelle » de l'Histoire.

L'ennui, c'est que ce socialisme-là, inepte et dévoyé, n'a pas été le seul à pâtir de sa débâcle. En vertu d'une loi constamment observée dans les sociétés humaines, la faillite d'un projet, d'une idée, d'une institution ou d'une personne contamine tout ce qui s'y apparente ou semble s'y apparenter.

Ce que les tenants de la révolution conservatrice ont réussi à déconsidérer, ce n'est pas seulement le communisme, c'est aussi la social-démocratie, et avec elle toutes les doctrines qui s'étaient montrées conciliantes avec les idéaux du socialisme, fût-ce pour mieux les combattre.

On ne s'est pas contenté de dénoncer les excès de l'égalitarisme, c'est le principe même d'égalité qu'on a remis en cause, et dévalorisé. Aux États-Unis, notamment, les écarts entre les revenus des plus riches et des plus pauvres, qui s'étaient constamment resserrés à partir des années trente, sont repartis à la hausse à la fin des années soixante-dix, au point de retrouver, en notre XXIe siècle, des niveaux comparables à ceux du XIXe. Ce qui a légitimement créé, chez certains, le sentiment de vivre – sur la question de l'égalité, du moins – une époque de régression.

Et on n'a pas seulement dénoncé les abus de la bureaucratie, on a instauré une culture de la méfiance et du dénigrement envers les autorités publiques, comme si leurs interventions dans la vie économique étaient forcément des « empiétements » dont les honnêtes citoyens devaient se défendre. Selon la formule percutante employée par Reagan dans son discours d'inauguration, « dans cette crise, l'État n'est pas la solution à notre problème ; *l'État est le problème* ».

La phrase a été abondamment commentée depuis. On

l'a analysée, interprétée, décortiquée, et parfois ramenée sagement au contexte précis où elle avait été prononcée. Mais elle reflète indéniablement une manière de penser dans laquelle se reconnaissait le militantisme conservateur décomplexé dont l'ancien président américain était le porte-drapeau, et qui allait désormais se répandre, sous tous les cieux, au point de devenir la norme de notre époque.

7

Pour toutes ces raisons, il m'est difficile de formuler, à ce stade de ma réflexion, une position tranchée sur les changements suscités par les révolutions conservatrices dans la gestion économique ou dans les rapports entre les citoyens et les pouvoirs publics. Par certains côtés, cette approche a favorisé les fractures sociales et causé des injustices parfois obscènes ; mais elle a également favorisé le décollage des grands pays du Sud et leur accès aux technologies avancées, ce qui représente, indéniablement, un progrès.

Les retombées me semblent, en tout cas, suffisamment mitigées et complexes pour que je m'abstienne de considérer cette « inversion » dans les attitudes en matière économique comme une « régression » pure et simple. Ce que je n'hésiterai pas à faire, en revanche, à propos de l'autre transformation liée aux révolutions conservatrices. Je veux parler de cette aggravation constante et généralisée des tensions identitaires, qui s'est répandue comme une drogue dans les veines de nos contemporains, et qui affecte aujourd'hui toutes les sociétés humaines.

Il n'est pas certain, d'ailleurs, qu'il faille considérer le déchaînement identitaire comme une *conséquence* des révolutions conservatrices. Il serait plus juste de dire qu'il y a eu, entre ces deux phénomènes, une *simultanéité*.

Mais celle-ci n'était pas fortuite. Parce qu'il y a toujours eu, dans le discours de ceux qui portent traditionnellement les idées du conservatisme, une tonalité identitaire – souvent fondée sur la religion, la nation, la terre, la civilisation, la race, ou un mélange de tout cela. On la retrouve chez les républicains américains, chez les nationalistes israéliens du Likoud, chez les nationalistes indiens du BJP, chez les talibans d'Afghanistan, chez les mollahs d'Iran, et plus généralement chez toutes les forces politiques qui ont opéré, à partir des années soixante-dix, leur propre révolution conservatrice.

Ce qui m'amène à évoquer, une fois encore, ce que j'ai appelé, dans ce livre, « l'année du grand retournement » – 1979. L'observateur désespérément rationnel que je suis n'accorde à ce nombre aucune vertu cachée ; s'il revient souvent sous ma plume, c'est que des événements significatifs ont eu lieu cette année-là, ou à ses alentours, qui ont marqué un tournant, et parfois une rupture, dans le cours de l'Histoire. N'y a-t-il pas des dates qui deviennent ainsi *des marque-page dans le grand registre du temps*, signalant la fin d'un chapitre et le commencement d'un autre ? 1979 en est une, me semble-t-il. J'avais trente ans, et je sentais la terre trembler sous mes pieds sans mesurer l'ampleur de la secousse.

Cette année-là, donc, un seuil a été franchi dans la longue histoire des turbulences identitaires, avec l'irruption brusque, sur la scène mondiale, d'un islamisme paradoxal, socialement traditionaliste mais politiquement radical, dont on ne soupçonnait pas jusque-là les potentialités insurrectionnelles, et qui allait avoir des répercussions durables. Il y eut ainsi, en février 79, la fondation de la République islamique d'Iran sur les décombres d'une monarchie jugée trop moderniste et occidentalisée ; en avril 79, l'exécution par pendaison de l'ancien président pakistanais Zulficar Ali Bhutto par des militaires putschistes qui lui reprochaient de prôner le socialisme et la laïcité, et qui réclamaient, quant à eux, une stricte application de la loi coranique ; en juillet 79, la décision américaine d'armer clandestinement les moudjahidines islamistes afghans ; en novembre 79, l'assaut contre la grande mosquée de La Mecque, mené par un imposant commando de militants islamistes saoudiens, et qui devait s'achever dans un bain de sang ; en décembre 79, l'entrée en Afghanistan des troupes soviétiques, contre lesquelles le jihadisme moderne allait mener sa guerre fondatrice...

Bien entendu, chacun de ces épisodes avait déjà sa propre raison d'être. Néanmoins, la cadence à laquelle ils se sont succédé semblait indiquer qu'une réalité nouvelle était en train de naître. Ce que le recul du temps nous permet aujourd'hui de confirmer. Bien des instants emblématiques qui ont façonné notre époque, de la chute du mur de Berlin à la chute des tours jumelles de Manhattan, trouvent leur origine dans les événements de « cette année-là »...

Une fois encore, je me dois de souligner qu'il n'y a évidemment pas *une* explication commune à tous ces développements. On peut évoquer pêle-mêle la griserie qui s'était emparée des dirigeants soviétiques au lendemain de leurs succès en Indochine et en Afrique noire ; la détresse profonde des Arabes après la défaite de Soixante-sept et la mort de Nasser ; les changements dans la manière dont les Américains concevaient désormais leur rôle dans la guerre froide ; les lignes de fracture souterraines au sein des sociétés musulmanes ; et quelques autres raisons encore.

Néanmoins, il y a un facteur d'une autre nature qui mériterait qu'on s'y attarde un peu plus que les autres : le choc pétrolier. Survenu en plusieurs secousses au cours des années soixante-dix, il allait modifier bien des paramètres économiques, sociaux et politiques, sous tous les cieux ; il allait conduire à un changement radical dans les mentalités, ainsi que dans les rapports de force ; et il allait répandre sur le monde arabe – et, à partir de là, sur le reste de la planète – comme un épais nuage d'obscurantisme et de régression.

*

Le principal « choc » eut lieu lorsque les pays producteurs imposèrent un embargo pour protester contre l'aide apportée par les États-Unis à Israël lors de sa guerre avec l'Égypte et la Syrie en octobre 1973. La pénurie ne dura pas longtemps, mais la hausse considérable du prix du baril, jusque-là extrêmement bas, allait être durement ressentie, pour de nombreuses années, par les pays importateurs.

Il ne fait aucun doute que ce facteur a été décisif dans les événements qui ont conduit aux diverses révolutions conservatrices. Si l'on revient, par exemple, à l'atmosphère qui régnait en Grande-Bretagne à la veille de l'avènement de Mme Thatcher, il est clair que la crise dont souffrait le pays était en bonne partie liée aux questions énergétiques. L'un des moments les plus traumatisants n'avait-il pas été l'extinction des lumières à Piccadilly Circus ? La dirigeante conservatrice promettait de mettre fin à ces perturbations.

Et c'est également ce qu'allait faire Reagan, quelques mois plus tard, de l'autre côté de l'Atlantique. Alors que le président Carter appelait ses compatriotes à réduire leur consommation d'énergie pour que le pays ne dépende plus des importations et qu'il ne soit pas contraint à s'engager dans des aventures militaires à l'étranger pour préserver ses sources d'approvisionnement, le candidat républicain avait adopté la ligne opposée, appelant les consommateurs américains à ne rien changer à leurs habitudes, et leur promettant qu'il ferait ce qu'il fallait, quitte à employer la force si nécessaire, pour leur éviter d'avoir à se serrer la ceinture.

C'est évidemment ce dernier discours que les électeurs avaient envie d'entendre, comme le confirmera le résultat du scrutin. Faire appel à la fierté des Américains, à leur orgueil national, ainsi qu'à leur désir de ne pas changer leurs habitudes consommatrices, était forcément plus avantageux que d'en appeler à un sens de la mesure qui ressemblait à de la résignation.

Les pays importateurs, riches ou pauvres, durent tous traverser une période de turbulences avant de pouvoir s'adapter aux réalités économiques nouvelles nées de la hausse des prix du pétrole. Ces longues années de doute, de flottement, de remise en question, furent souvent éprouvantes et même traumatisantes. Mais c'est dans les pays exportateurs que l'on vit les secousses les plus spectaculaires. Causées à la fois par les ambitions démesurées de certains dirigeants et par les attentes insatiables suscitées dans la population par l'afflux brusque des pétrodollars, elles commencèrent très vite, et ne s'arrêtèrent plus.

Le shah d'Iran, qui avait été l'un des principaux artisans du « choc pétrolier », fut chassé du pouvoir en février 1979 à la suite d'un soulèvement populaire. Peu de temps après, l'Arabie saoudite connaissait un ébranlement politique majeur, dans lequel beaucoup d'observateurs ne virent, sur le moment, qu'un incident bizarre et isolé, mais qui allait avoir des répercussions planétaires – j'y reviendrai. S'agissant de l'Irak, son histoire ne fut plus dès lors qu'une suite d'invasions provoquées et d'invasions subies, de guerres intestines et de massacres, ce qui a laissé le pays ruiné, exsangue, et quasiment démembré. Il suffit d'ailleurs de passer en revue les « heureux » bénéficiaires de la « manne » pour se remémorer toutes les tragédies que l'or noir a suscitées. Outre ceux que je viens de citer, on trouve dans la liste la Libye, l'Algérie, l'Indonésie, le Koweït, le Nigeria ou le Venezuela.

Comme un triste florilège des drames de notre temps...

*

Au sein du monde arabe, la conséquence la plus immédiate du choc pétrolier fut que les pays qui exportaient la précieuse denrée se retrouvèrent en possession d'énormes liquidités, ce qui leur procura un avantage certain sur ceux qui n'avaient pas les mêmes ressources. L'Égypte perdit la place prépondérante qu'elle occupait du temps de Nasser ; l'Arabie saoudite apparut, du jour au lendemain, comme un acteur de premier plan ; quant aux dirigeants de l'Irak et de la Libye, Saddam Hussein et Mouammar Kadhafi, ils en vinrent à se rêver en nouveaux leaders de la nation arabe, et ils sacrifièrent l'essentiel de la fortune nouvellement acquise au service de cette ambition, sans parvenir à leurs fins.

Un effet plus durable de ce déplacement de puissance se produisit au niveau des mentalités et de l'atmosphère intellectuelle. Les idées qui avaient cours jusque-là, inspirées par le nationalisme, le socialisme ou le modèle des sociétés occidentales, furent peu à peu éclipsées par d'autres, qui provenaient de pays désertiques ayant longtemps vécu à l'écart des grands courants de pensée qui soufflaient sur le monde. Et l'on vit apparaître dans la sphère politique de nouveaux acteurs, au profil inhabituel : des hommes jeunes, élevés dans des environnements très conservateurs et disposant parfois de moyens financiers considérables, qu'ils étaient prêts à dépenser pour la propagation de leur foi.

On connaît aujourd'hui le nom d'Oussama Ben Laden et de quelques autres, qui ont commandité ou commis des attentats spectaculaires. Mais ce sont des centaines de milliers d'anonymes, peut-être même des millions, qui ont contribué aux combats d'Afghanistan, de Bosnie ou d'ailleurs, sans y avoir jamais mis les pieds, en envoyant simplement leur obole à quelque collecteur de fonds, avec la certitude d'accomplir ainsi un acte de piété. Tant d'Arabes se sentaient alors humiliés, déboussolés, orphelins de leurs héros et trahis par leurs dirigeants comme par les idéologies « modernes » auxquelles ils avaient cru ! Ils étaient mûrs pour s'enrôler sous les étendards de la religion.

Le jour où Brzezinski vint demander à ses alliés, notamment aux Saoudiens, aux Égyptiens et aux Pakistanais, d'envoyer aux moudjahidines afghans de l'argent, des armes, et des volontaires prêts à se battre contre les communistes athées, son discours ne fut pas accueilli avec indifférence.

La stratégie qu'il prônait se trouvait être en phase avec les aspirations jihadistes qui agitaient certains secteurs de la population. Et elle était également en phase avec les préoccupations des dirigeants locaux, qui s'inquiétaient, certes, comme les Américains, de la menace soviétique, mais s'alarmaient bien plus encore d'un événement survenu à leurs portes : le soulèvement populaire, d'inspiration à la fois nationaliste et islamiste, qui venait de renverser le shah d'Iran, et qui faisait redouter à toutes les monarchies voisines un effet de contagion.

Les circonstances de ma vie de journaliste ont voulu que je sois, une fois encore, lors de la révolution iranienne, un spectateur proche des bouleversements que mon époque a connus.

J'emploie ici le terme de « spectateur » dans son sens le plus concret : lorsque fut annoncée la fondation de la République islamique, j'étais à Téhéran, dans une petite salle de spectacle ; et juste devant moi, sur la scène, adossé à la tenture, était assis, dans un grand fauteuil, l'ayatollah Khomeiny. C'était le 5 février 1979, et cet étrange tableau est imprimé pour toujours dans ma mémoire.

À l'époque, j'étais déjà installé à Paris, où j'avais repris mes activités de journaliste, comme à Beyrouth, mais avec quelques accommodements : j'écrivais désormais plus souvent en français qu'en arabe ; et je couvrais le monde arabo-musulman plus souvent que le reste de la planète.

Quand les manifestations massives s'étaient multipliées en Iran, au cours de l'été 1978, et qu'elles avaient violemment ébranlé le trône du shah, je les avais suivies avec fascination. Une révolution conduite par un chef religieux de soixante-seize ans en turban noir et barbe blanche n'était pas un phénomène banal dans le dernier quart du XXe siècle. Comme beaucoup de mes contemporains, j'en contemplais le déroulement avec plus d'incrédulité que d'inquiétude. La monarchie était perçue comme répressive, opulente et corrompue ; on s'intéressait bien moins à ses aspirations modernisatrices.

Au commencement des turbulences, Khomeiny vivait en exil dans le sud de l'Irak, en un lieu vénéré par les chiites du monde entier. Mais le shah d'Iran exigea qu'on l'expulse, et Saddam Hussein demanda à l'ayatollah d'aller se réfugier ailleurs – ce que l'intéressé ne lui pardonnera jamais. La France se proposa d'accueillir le vieil opposant, et une petite bourgade proche de Paris, nommée Neauphle-le-Château, devint pour quelques mois sa résidence, et la capitale improbable de l'insurrection iranienne.

Je m'y rendis à deux ou trois reprises, et j'eus l'occasion d'interviewer Khomeiny en présence d'un jeune religieux chiite libanais qui faisait partie de son entourage, et qui accepta très aimablement de me servir d'interprète. Je posais mes questions en arabe classique ; Khomeiny me comprenait, manifestement, et il me le signifiait quelquefois d'un hochement de tête, mais il me répondait en persan, et l'interprète me chuchotait la traduction à l'oreille. Nous étions tous les trois assis par terre, sur des coussins épais recouverts de petits tapis persans.

J'ai également eu des conversations avec les hommes qui tournaient dans l'orbite du chef, et qui lui manifestaient, bien sûr, beaucoup de considération, sans forcément partager toutes ses idées. Le plus important d'entre eux était Ebrahim Yazdi, un docteur en biochimie qui allait être nommé ministre des Affaires étrangères dans le premier gouvernement de la République islamique, avant de tomber en disgrâce et de devenir une figure emblématique de l'opposition au régime des mollahs.

C'est lui qui téléphona chez moi, le 31 janvier, pour m'annoncer qu'Air France allait affréter un gros appareil pour le retour de Khomeiny en Iran. Il y aurait de la place pour lui et pour son entourage, ainsi que pour les journalistes étrangers qui souhaitaient couvrir l'événement. Yazdi me demanda si j'étais bien d'accord pour faire le voyage. Je lui promis de le retrouver deux heures avant le décollage, prévu aux environs de minuit.

L'ayatollah fut reçu à l'aéroport de Téhéran avec une solennité froide, mais dans les rues une marée humaine l'attendait, comme je n'en avais jamais vu de mes propres yeux. On aurait dit que la population entière était sortie de chez elle pour l'accueillir.

C'était un triomphe, même si son statut dans le pays était encore flou. Il n'était pas au pouvoir, et ses proches craignaient encore que certains éléments de l'armée ne s'en prennent à lui. Mais personne d'autre n'était aux commandes. Le camp adverse était en plein désarroi.

Durant cette période intérimaire, l'opposant installa son quartier général provisoire dans une école publique, située dans une zone où ses partisans pouvaient le protéger. Il y avait constamment des manifestants dans les rues environnantes, et Khomeiny sortait quelquefois au balcon pour les saluer.

C'est au bout de trois jours qu'il jugea que le moment était désormais propice pour avancer ses pièces sur l'échiquier. Il fit organiser dans une salle de cinéma une petite cérémonie à laquelle assistèrent ses proches, un certain nombre de personnalités politiques et religieuses, ainsi que les journalistes étrangers qui l'avaient accompagné depuis la France.

Khomeiny était donc sur l'estrade, assis dans un fauteuil. À sa gauche, debout, en costume clair et cravate, un homme à peine moins âgé que lui, Mehdi Bazargan. L'ayatollah le nomma, séance tenante, premier chef du gouvernement de la République islamique d'Iran. Celle-ci venait de naître sous nos yeux. Il y avait encore, dans la même ville, un autre gouvernement, nommé par le shah, et présidé par Shahpur Bakhtiar. Mais il était clair que la disparition de l'ancien régime n'était plus qu'une question de jours, ou même d'heures.

Il y avait un contraste saisissant entre l'ampleur de l'événement historique qui se déroulait sous nos yeux, et la banalité de l'endroit qui lui servait de décor. Un empire millénaire venait d'être aboli en notre présence, le monde musulman était en train de connaître un bouleversement majeur, qui allait avoir des conséquences sur toute l'étendue de la planète. Et pourtant, la salle paraissait municipale, et la cérémonie scolaire ; on eût dit un rituel de fin d'année, avec remise de diplôme à l'élève le plus méritant. Bazargan renforçait cette impression. Ému et émouvant, manifestement intimidé dans son costume clair et maladroitement boutonné, il tenait à la main les pages fripées de son discours d'acceptation. On avait l'impression qu'il ne s'attendait pas à monter sur l'estrade, et qu'il avait hâte de la quitter.

L'homme avait la réputation d'être intègre et compétent, et sa désignation à la tête du gouvernement était fort rassurante pour ceux qui espéraient de la révolution khomeyniste qu'elle conduisît l'Iran vers la modernisation dans la démocratie. Il avait fait l'essentiel de ses études en France, d'abord dans un lycée de Nantes, puis à l'École centrale, à Paris, où il avait obtenu son diplôme d'ingénieur.

Quand Mossadegh avait voulu, en 1951, reprendre le contrôle du pétrole iranien, c'est Bazargan qu'il avait choisi pour diriger la compagnie nationale. Cette aventure s'était terminée dans la tristesse deux ans plus tard avec le coup d'État fomenté par la CIA, mais le souvenir en demeurait vivace dans la population, et le fait que la nouvelle révolution fasse appel à une figure de la révolution précédente était réconfortant.

Tout aussi rassurante fut la nomination de Yazdi comme vice-Premier ministre. Deux scientifiques reconnus pour leur intégrité, pour leur modernité d'esprit comme pour leurs convictions démocratiques, se trouvaient ainsi à la tête du gouvernement. Ceux qui croyaient que Khomeiny allait être, pour la nation, un grand-père attentionné et débonnaire, ne pouvaient que se réjouir. La révolution semblait débuter sous les meilleurs auspices.

*

Il est raisonnable de supposer que l'ayatollah nourrissait, dès l'origine, de tout autres projets. Bien plus ambitieux, certainement, mais bien moins rassurants pour ceux qui espéraient une transition sereine de la monarchie à la république. Il allait laisser à ses héritiers un régime d'un genre inédit, mélange de traditionalisme social et de radicalisme politique. L'Iran s'est métamorphosé, sous son impulsion, en une puissance régionale dynamique, au style original, à la voix écoutée, aux initiatives respectées, mais engagée jusqu'au cou dans des batailles titanesques, ni totalement perdantes ni vraiment gagnantes, et qui ne finissaient jamais.

L'un des premiers changements remarquables sur le plan international fut le renversement de la politique iranienne sur le conflit du Proche-Orient. Le shah avait tissé des relations amicales avec Israël, qu'il fournissait en pétrole alors que les producteurs arabes refusaient de le faire. Khomeiny mit immédiatement fin à cette pratique, rompit ses relations diplomatiques avec l'État hébreu, reçut Arafat à Téhéran avant tout autre dirigeant étranger, et invita même l'OLP à occuper certains bâtiments qui avaient abrité jusque-là les services diplomatiques israéliens. Il y eut ainsi, pendant les premiers mois de la révolution, un afflux de conseillers politiques et militaires palestiniens.

Mais, malgré ces apparences prometteuses, les relations entre les deux partenaires ne partaient pas vraiment du bon pied. Les Iraniens, fiers et farouchement nationalistes, ne voyaient pas l'utilité de faire venir une cohorte de conseillers arabes ; et, de son côté, Arafat redoutait que son rapprochement avec l'Iran ne lui aliène l'Irak de

Saddam Hussein, alors qu'il était déjà engagé dans un bras de fer avec la Syrie d'Assad.

Cette lune de miel avec l'OLP fut donc de courte durée, mais l'engagement de Téhéran dans le conflit israélo-arabe se révéla durable. Il en vint même à représenter un atout stratégique capital pour le régime des mollahs.

L'élément inattendu, difficilement prévisible, et qui allait avoir des conséquences majeures, c'est que l'Iran de la révolution, sans être aucunement arabe, allait adopter un discours s'apparentant à celui du nationalisme arabe, notamment sur la Palestine et le conflit avec Israël.

Ce positionnement allait porter ses fruits. La République islamique allait exercer une influence déterminante dans plusieurs pays de l'Orient arabe, tels que l'Irak ou la Syrie ; elle allait parrainer d'importants mouvements armés, tels que le Hezbollah au Liban, le Hamas et le Jihad islamique à Gaza, ou les houthistes du Yémen ; et elle allait disposer d'une présence significative en Afghanistan comme dans plusieurs républiques ayant fait partie de l'ancienne Union soviétique.

Mais cette montée en puissance s'est accompagnée, tout au long, d'un déchaînement de haine entre les sunnites, majoritaires dans la plupart des pays arabes, et les chiites, très majoritaires en Iran. Le conflit était latent depuis des siècles, et il aurait pu le rester. J'ai déjà eu l'occasion de dire que, dans le Beyrouth de ma jeunesse, il n'était pas vraiment à l'ordre du jour. Sans doute les chiites libanais vivaient-ils souvent dans des zones défavorisées ; mais cela les incitait surtout à s'engager en grand nombre dans les partis de gauche, aux côtés des autres travailleurs, pas seulement à réclamer leurs droits au nom de leur communauté. Il est vrai que je parle ici d'une époque révolue, où l'on avait une tout autre perception de son identité, où l'on réfléchissait différemment, où l'on agissait selon d'autres critères.

Depuis, « l'esprit du temps » a modifié tous les comportements – une dérive pour laquelle on ne peut raisonnablement blâmer un des protagonistes en innocentant les autres. Cela dit, il ne fait pas de doute qu'en revendiquant un rôle prépondérant au sein d'un monde arabe à majorité sunnite, et en s'appuyant, pour l'acquérir, sur les communautés chiites locales, l'Iran prenait le risque de susciter des réactions hostiles. De la part des régimes qu'il menaçait, notamment l'Arabie saoudite. Et aussi, plus généralement, de la part des populations sunnites, qui se sont senties lésées, menacées et marginalisées par l'influence grandissante des chiites.

Même parmi les éléments sunnites radicaux, farouchement opposés aux monarchies pétrolières et qui auraient voulu les voir balayées par une révolution islamiste comme l'avait été le trône du shah, la barrière communautaire s'est révélée extrêmement difficile à franchir. Sans doute ces militants éprouvaient-ils de l'admiration pour ceux qui avaient réussi à renverser les Pahlavis, alors qu'eux-mêmes demeuraient impuissants face à leurs propres dynasties régnantes ; mais ils n'oubliaient pas que ce fait d'armes avait été accompli par des « schismatiques », et ils avaient à cœur de démontrer que les tenants de la « vraie tradition du Prophète » pouvaient faire mieux.

9

Cet aspect des choses a joué un rôle certain dans la
dérive que le monde arabe a connue au cours des dernières décennies, et dont la planète entière pâtit à présent.
Une sorte d'émulation s'est instaurée, en effet, entre tous
ceux qui se présentaient comme les porte-drapeaux de
« la guerre sainte contre les ennemis de l'islam ». Entre
sunnites et chiites, donc, mais aussi entre les diverses
factions militantes sunnites.

L'un des exemples les plus effarants fut la surenchère sanglante exercée par l'organisation dite « État
islamique » lorsqu'elle a voulu s'emparer du leadership
exercé par Al-Qaïda au sein de la mouvance jihadiste ;
le « challenger » a eu recours à des actes d'une violence
sans pareille, notamment à des égorgements publics, pour
démontrer qu'il était prêt à aller plus loin dans l'horreur,
beaucoup plus loin que tous les autres, afin que les militants les plus fanatisés et les plus jusqu'au-boutistes se
reconnaissent en lui et viennent le rejoindre.

Pour démentiel qu'il soit, un tel comportement a
sa propre rationalité machiavélienne. N'est-ce pas ainsi
qu'opère le mécanisme de la surenchère ? Lorsqu'un

« compétiteur » va trop loin dans l'audace ou dans la cruauté, ses rivaux ne peuvent plus le suivre, ils sont contraints de lui laisser le champ libre.

J'ai évoqué là un cas extrême, l'un des plus révoltants, mais ce n'est qu'un épisode parmi d'autres dans une très longue et très perverse compétition.

Un exemple plus ancien de cette émulation a eu lieu dans les dernières semaines de 1979 – encore cette année-là ! Le 4 novembre, un dimanche, des centaines d'étudiants iraniens envahissent l'ambassade américaine à Téhéran, où ils se saisissent de cinquante-deux otages, et entament une « occupation révolutionnaire » des locaux. Seize jours plus tard, le mardi 20, des centaines de jihadistes sunnites saoudiens envahissent la grande mosquée de La Mecque.

Si la première de ces attaques était sans précédent, la seconde était plus inouïe encore. Un commando armé qui pénètre dans le lieu le plus saint de l'islam ! Et qui réclame l'application de la *charia*, alors que le royaume wahhabite était, aux yeux du monde entier, l'exemple même du pays attaché à la loi religieuse la plus stricte ! De plus, il ne s'agissait pas d'une simple escouade qui aurait trompé la vigilance des gardiens : on était en présence d'une vraie petite armée, avec ses véhicules et son équipement lourd !

Plus surprenante encore fut l'attitude des autorités saoudiennes. On se serait attendu à ce qu'elles réagissent promptement pour rétablir l'ordre. Mais elles semblaient désemparées, paralysées, impuissantes. Elles durent faire appel à leurs alliés, notamment au Pakistan et à la France, qui dépêchèrent sur place leurs unités d'élite, pour conseiller et encadrer les forces locales. Et c'est finalement au bout de deux semaines, et à l'issue d'une véritable bataille rangée, que la mosquée fut reprise. On estime qu'il y eut près de trois cents morts. Soixante-huit rebelles furent capturés, puis décapités.

L'incroyable assaut contre ce lieu saint fut l'acte de naissance d'un militantisme sunnite radical dont on allait entendre parler pendant des décennies. Pour l'heure, certains admirateurs de l'audacieux commando, meurtris par sa défaite, s'en furent poursuivre leur combat loin de la Péninsule arabique. En Afghanistan, par exemple. Et les autorités saoudiennes, soucieuses de s'en débarrasser, encouragèrent cette diversion. Ce fut notamment le cas d'Oussama Ben Laden ; il s'employa désormais à construire le puissant réseau jihadiste global qui prendrait un jour le nom d'Al-Qaïda, « la Base », et qui se ferait connaître par une série d'attentats spectaculaires culminant avec l'attaque contre les tours jumelles de New York le 11 septembre 2001.

Une autre conséquence majeure des événements de La Mecque fut d'ébranler l'Arabie saoudite et d'amener ses dirigeants à modifier radicalement leurs comportements en matière religieuse. Certains observateurs, qui s'intéressent de près à l'histoire du royaume, parlent d'un « traumatisme de 1979 », à partir duquel le régime, craignant d'apparaître comme trop mou dans la défense de la foi, dut redoubler d'efforts pour propager le wahhabisme et le salafisme à travers le monde, notamment par la construction de mosquées et par le financement d'associations religieuses, de Dakar à Djakarta, ainsi qu'en Occident... Même l'appellation du roi a changé ; on cessa de dire Sa Majesté, la majesté étant réservée au Créateur, pour désigner le monarque, dans tous les actes du gouvernement et dans tous les médias officiels ou officieux, comme « le Serviteur des deux lieux saints », à savoir La Mecque et Médine.

Sans doute le royaume espérait-il acquérir de la sorte un « certificat » de piété, qui le préserverait des surenchères. Mais ce n'est pas ainsi que les choses se sont passées. Il est illusoire de penser qu'en se montrant radical, on fait taire les radicaux. C'est souvent l'inverse qui se produit. Un système comme celui de l'Arabie, que le reste du monde trouve strictement traditionaliste, suscite en son sein des courants qui s'appuient sur ses professions de grande orthodoxie pour le juger insuffisamment islamique. L'enseignement qu'il prodigue ne fait que légitimer une certaine vision du monde, que d'autres se hâtent de retourner contre lui.

La monarchie saoudienne se retrouva pendant des dizaines d'années prisonnière de la rhétorique qu'elle avait contribué à propager, et dont il lui était difficile de sortir sans mettre en péril les fondements mêmes sur lesquels le royaume avait été bâti. Le traumatisme causé par les événements sanglants de 1979 allait se révéler durable.

*

Les « étudiants révolutionnaires » qui avaient investi l'ambassade américaine à Téhéran connurent un tout autre destin que ceux de la grande mosquée de La Mecque. Si l'ayatollah Khomeiny se retint d'approuver publiquement leur action, il se garda soigneusement de les condamner, et il leur témoigna même de la sympathie en qualifiant le bâtiment qu'ils occupaient de « nid d'espions ». Loin d'être châtiés, ils devinrent des héros, et plusieurs d'entre eux jouèrent dans les années suivantes des rôles importants. L'attitude du Guide de la révolution dans ce dossier déçut profondément Yazdi et Bazargan, qui quittèrent aussitôt le pouvoir. Leur départ marquait la fin des illusions pour tous ceux qui avaient cru à une évolution libérale et démocratique de la République islamique.

L'occupation se poursuivit pendant près de quinze mois, et elle influença de manière significative la campagne présidentielle qui se déroulait alors aux États-Unis. Humiliés par les images de leurs diplomates menottés et les yeux bandés, les Américains en ont voulu au président Carter de n'avoir pas su riposter, surtout lorsqu'une tentative de libérer les otages par une opération commando avorta de manière lamentable. Le candidat républicain, Reagan, eut beau jeu de dénoncer la faiblesse et l'incompétence de l'administration démocrate.

Le drame de l'ambassade contribua indiscutablement à la défaite écrasante que subit le président sortant. À tel point qu'il y eut des allégations persistantes selon lesquelles des envoyés de Reagan auraient eu des pourparlers à Paris avec des représentants iraniens, pour leur demander de retarder le règlement du conflit jusqu'après l'élection. Les historiens débattront longtemps encore pour déterminer ce qui s'est réellement passé. Cependant, les autorités iraniennes, comme si elles voulaient ajouter foi à ces allégations, choisirent d'annoncer la libération des otages le jour même où Reagan prit ses fonctions, très exactement le 20 janvier 1981, pendant que se tenait à Washington la cérémonie d'inauguration.

La nouvelle administration ne se montra d'ailleurs pas vraiment hostile envers la République islamique. Un énorme scandale éclata même, durant le second mandat de Reagan, lorsque le Congrès découvrit que la Maison Blanche finançait – illégalement – la guérilla antisandiniste du Nicaragua avec de l'argent obtenu en vendant – illégalement – des armes aux pasdarans, les gardiens de la révolution iranienne.

Si l'opération, qu'on baptisa « Iran Contra Affair » ou « Irangate », était cynique, perverse et fort alambiquée, il serait imprudent d'en conclure qu'il y avait une complicité active entre les « révolutions conservatrices » de Washington et de Téhéran. Il faudrait plutôt y voir, me semble-t-il, une convergence ponctuelle, née des contraintes du moment. C'était une autre époque, avec un autre environnement international, d'autres rapports de force, d'autres priorités. Aux yeux de Reagan, l'adversaire principal était toujours le communisme, tous les autres conflits paraissaient secondaires, et éphémères.

Mais l'explication sereine que je viens de donner ne fait pas l'unanimité. Bien des esprits dans le monde arabe, notamment parmi les sunnites, croient dur comme fer à une collusion entre la République islamique et les

États-Unis. Même si l'on entend tous les jours à Téhéran « Mort à l'Amérique ! », et même si Washington accuse le régime iranien d'être le « parrain » de tous les terrorismes, certains demeurent convaincus que des liens souterrains et inavoués existent entre les chiites et les États-Unis.

Cette suspicion date de la seconde guerre d'Irak, en 2003. Les sunnites de ce pays accusèrent leurs rivaux de les avoir chassés du pouvoir avec la complicité des envahisseurs américains. Et ils se lancèrent aussitôt, sous l'égide d'un jihadiste jordanien surnommé « al-Zarkaoui », qui avait fait ses premières armes en Afghanistan, dans une campagne d'attentats massifs contre des cibles chiites, notamment des mosquées, des cortèges de pèlerins et des rassemblements de fidèles.

Un cycle de violence qui allait prendre, dans plusieurs pays musulmans, les allures d'une véritable guerre confessionnelle ; qui allait culminer avec l'apparition de l'entité lugubre ayant pour nom « l'État islamique » ; et qui allait conforter ce sentiment d'une régression du monde arabe vers les époques les plus sombres de son passé.

IV

Un monde en décomposition

We were made to understand it would be
Terrible. Every small want, every niggling urge,
Every hate swollen to a kind of epic wind.

Livid the land, and ravaged, like a rageful
Dream. The worst in us having taken over
And broken the rest utterly down.

On nous a fait comprendre que les choses allaient être
Terribles. Chaque petit désir, chaque insignifiante envie,
Chaque détestation prenant des allures épiques.

Livide, la terre, et dévastée, comme en un
Songe rageur. Le pire en nous ayant pris le dessus
Et démoli complètement tout le reste.

Tracy K. SMITH (née en 1972),
Wade in the Water

1

On a dit, au crépuscule du xxᵉ siècle, que le monde serait désormais marqué par un « affrontement entre les civilisations », et notamment entre les religions. Pour désolante qu'elle soit, cette prédiction n'a pas été démentie par les faits. Là où on s'est lourdement trompé, c'est en supposant que ce « clash » entre les différentes aires culturelles renforcerait la cohésion au sein de chacune d'elles. Or, c'est l'inverse qui s'est produit. Ce qui caractérise l'humanité d'aujourd'hui, ce n'est pas une tendance à se regrouper au sein de très vastes ensembles, mais une propension au morcellement, au fractionnement, souvent dans la violence et l'acrimonie.

La chose se vérifie, à l'évidence, pour le monde arabo-musulman, qui semble avoir pris sur lui d'amplifier jusqu'à l'absurde tous les travers de notre époque. Si la détestation ne cesse de monter entre lui et le reste de la planète, c'est en son sein que se produisent les pires déchirements, comme en témoignent les innombrables conflits sanglants qui s'y sont déroulés dans les dernières décennies, de l'Afghanistan au Mali en passant par le Liban, la Syrie, l'Irak, la Libye, le Yémen, le Soudan, le Nigeria ou la Somalie.

C'est là, assurément, un cas extrême. On ne voit pas, dans d'autres « aires de civilisation », les mêmes niveaux de décomposition. Mais la tendance au morcellement et à la tribalisation se vérifie partout. On l'observe dans la société américaine, ce qui a conduit certains esprits malicieux à parler des « États-Désunis ». On l'observe dans l'Union européenne, qui a été ébranlée par la défection de la Grande-Bretagne comme par les crises et les tensions liées aux migrations. On l'observe de manière particulièrement aiguë dans quelques grands et vieux pays du continent, unifiés depuis des siècles, qui possédèrent jadis les plus vastes empires, et qui doivent aujourd'hui faire face – en Catalogne, en Écosse, et ailleurs – à des mouvements indépendantistes puissants et résolus. Sans oublier l'ancienne Union soviétique et les autres pays autrefois communistes d'Europe orientale, qui formaient neuf États à la chute du mur de Berlin, et qui en comptent aujourd'hui vingt-neuf…

Il n'y a sûrement pas, à ces divers morcellements, une explication simple et unique. Néanmoins, on peut déceler, par-delà les spécificités locales, des pulsions similaires, manifestement liées à « l'esprit du temps ». En particulier, il me semble qu'il y a, au sein de chacune de nos sociétés, comme au niveau de l'humanité entière, de plus en plus de facteurs qui fragmentent, et de moins en moins de facteurs qui cimentent. Ce qui aggrave encore cette tendance, c'est que le monde est aujourd'hui rempli de « faux ciments » qui, telle l'appartenance religieuse, prétendent réunir les hommes alors qu'ils jouent, dans la réalité, le rôle inverse.

En prélude à ma réflexion sur ce que sont devenues les solidarités humaines, je me dois d'évoquer cette idée, qui exerce une influence déterminante sur les mentalités de nos contemporains bien qu'elle remonte à l'Angleterre du XVIIIᵉ siècle, et selon laquelle chaque personne devrait agir selon ses propres intérêts, la somme de tous ces égoïsmes étant forcément à l'avantage de la société tout entière ; comme si une « main invisible » intervenait providentiellement pour harmoniser l'ensemble de nos actes – opération subtile, complexe et mystérieuse, que les pouvoirs publics seraient incapables d'accomplir, et dont ils feraient mieux de ne pas se mêler, car leur intervention compliquerait les choses au lieu de les faciliter.

Formulée par Adam Smith dans un ouvrage publié en 1776, cette idée est redevenue éminemment actuelle depuis la fin des années soixante-dix, et elle influence de manière significative les attitudes de nos contemporains. On devine bien ses implications politiques, et son attrait pour tous ceux qui se méfient du rôle de l'État en tant que régulateur de l'économie et redistributeur des richesses ; il n'est pas étonnant, dès lors, que les tenants des révolutions conservatrices de type thatchérien ou reaganien l'aient reprise à leur compte, et qu'ils y aient vu la base même de leur vision du monde.

Une telle approche peut paraître brumeuse pour des esprits rationnels. En toute logique, la théorie de « la main invisible » aurait même dû tomber depuis longtemps dans l'oubli, sauf peut-être chez ceux qui s'intéressent à l'histoire des sciences économiques, voire à leur préhistoire. Ce n'est pas ce qui est arrivé. L'intuition imagée d'Adam Smith a résisté au temps comme aux railleries des détracteurs, et la fascination qu'elle exerce est bien plus grande aujourd'hui qu'il y a deux cent cinquante ans.

Cette longévité s'explique avant tout par l'échec cuisant du modèle soviétique, qui avait fait grand cas du caractère « scientifique » de son socialisme. Celui-ci était censé démontrer que seuls les pouvoirs publics étaient en mesure de rationnaliser les processus de production et de distribution. Mais il a démontré l'inverse, à savoir que plus une économie était centralisée, plus son fonctionnement devenait absurde ; plus elle prétendait gérer les ressources, plus elle provoquait des pénuries.

De ce fait, c'est « le socialisme scientifique » qui est tombé dans les oubliettes de l'Histoire, alors que « la main invisible » revenait à l'honneur, plus crédible et plus légitime que jamais, au point d'être revendiquée par les conservateurs militants comme le principe fondateur de leur engagement. Même le caractère mystérieux et quelque peu irrationnel de cette notion s'est révélé plutôt attrayant ; bien des gens y ont perçu, en effet, une dimension spirituelle, et comme une approbation divine du fonctionnement du capitalisme face au dirigisme « athée ».

*

Les préceptes d'Adam Smith contribuent aujourd'hui, plus encore que par le passé, à façonner notre monde. Et pas seulement en ce qui concerne le rôle de l'État dans la vie économique : la croyance en une « main invisible » a des conséquences dans bien d'autres domaines.

On comprendra aisément, par exemple, que ceux qui se méfient de leur propre gouvernement se méfient encore plus des instances internationales. C'est la même disposition d'esprit qui est ici à l'œuvre. Si l'on ne veut pas que la puissance publique intervienne dans la vie économique de la nation, on ne voudra pas, a fortiori, qu'une autorité supranationale émette des directives. Si l'on juge qu'il y a « trop de gouvernement » dans son propre pays, il est normal que l'on se méfie de tout ce qui ressemble à un « gouvernement global », comme les Nations unies ; ou, s'agissant de l'Europe, à un « gouvernement continental » comme celui qui siège à Bruxelles.

De la même manière, on se montrera spontanément méfiant à l'égard des Cassandre qui prédisent des catastrophes globales et réclament, pour leur faire face, des solidarités actives qui transcendent le cadre national. Sans vouloir m'attarder ici sur le débat concernant le climat, il me paraît utile de souligner que le scepticisme, dans ce domaine, procède d'une disposition d'esprit similaire. Ceux qui sont hostiles à toute gouvernance globale auront tendance à privilégier les arguments qui mettent en doute la réalité du réchauffement climatique et la responsabilité des activités humaines dans les perturbations. À l'inverse, ceux qui font confiance aux instances internationales auront tendance à croire aux chiffres les plus alarmants.

Ayant souligné la résilience et l'étonnante longévité de la doctrine inspirée d'Adam Smith, je me dois d'ajouter que sa capacité à sortir gagnante de son duel avec le marxisme ne veut pas dire qu'elle constitue une réponse adéquate aux défis que pose le monde d'aujourd'hui.

Que le dirigisme socialiste ait été une fausse bonne idée n'implique pas forcément que « la main invisible » représente la solution providentielle à tous les maux présents et à venir. Peut-on sérieusement considérer, par exemple, qu'en matière d'environnement, il suffit que chacun fasse ce qui lui paraît être dans son intérêt pour que le résultat soit positif pour le pays tout entier, et pour l'ensemble de la planète ? La réponse est évidemment négative ; pourtant, certains semblent le croire, notamment aux États-Unis.

Et dans les rapports entre les nations, suffit-il que chacune d'elles agisse selon ses propres intérêts, ses propres ambitions, pour que l'on voie avancer l'humanité entière vers la paix et la prospérité ? Là encore, la réponse devrait être négative. Mais les citoyens qui se méfient des « ingérences » de leur propre État dans leurs affaires se méfient encore plus de tout ce qui ressemble à une gouvernance mondiale, ou supranationale.

Si j'insiste sur ces faits, c'est parce qu'il me paraît déconcertant que dans notre monde globalisé, où les images, les outils, les idées, et aussi les maux et les fièvres se propagent à la vitesse de la lumière, l'idéologie qui prévaut et qui fixe les normes soit fondée sur l'égoïsme sacré des individus et de leurs « tribus » – nations, ethnies, communautés de toutes sortes.

On voit bien le cheminement historique qui a mené à de telles attitudes. Mais on ne peut que s'inquiéter de la confiance excessive accordée à la « somme algébrique » de nos égoïsmes planétaires. Il y a là, à l'évidence, une dérive vers l'irrationalité, vers une sorte de pensée magique, qui trahit un profond désarroi face à la complexité du monde. Ne nous sentant plus capables de trouver des solutions adéquates, nous voulons croire que celles-ci viendront d'elles-mêmes, comme par miracle, et qu'il suffit d'avoir foi dans la main invisible du Ciel, ou du destin.

Ce qui ne présage rien de rassurant, je le crains, pour les décennies à venir.

2

Une autre caractéristique inquiétante de notre époque, et qui s'appuie sur la même vision du monde, c'est la légitimation des disparités, aussi vertigineuses soient-elles.

Il est vrai que peu de gens considèrent encore comme un objectif raisonnable l'égalité effective entre tous les humains. Néanmoins, la notion elle-même, bien que malmenée, se maintenait jusqu'ici en tant que référence morale symbolique, et l'on se gardait bien, en tout cas, de faire l'éloge des inégalités. On les savait inévitables, mais on ne songeait pas à les applaudir. On pourrait faire une constatation similaire à propos du chômage : cela fait quelque temps que plus personne ne croit au plein-emploi, mais on ne voyait pas autrefois les Bourses mondiales saluer d'une vague d'achats les compagnies qui procédaient à des licenciements massifs.

C'est cela qui a changé avec le nouvel esprit du temps. Même dans ma patrie d'adoption, la France, où l'on continue à invoquer le principe d'égalité, on contemple désormais l'enrichissement outrancier avec fascination plutôt qu'avec horreur ; et si l'on est toujours scandalisé par les revenus de certains dirigeants d'entreprise, on ne l'est plus guère par celui des footballeurs, des acteurs ou des vedettes de la chanson. Cette attitude est bien plus prononcée encore dans des pays comme la Russie ou la Chine, où un égalitarisme de façade avait longtemps servi de couverture à l'injustice et à la tyrannie.

Et lorsqu'on voit s'étaler dans les médias, comme cela arrive souvent, un palmarès des plus grosses fortunes rapportées à ce que possède le reste des humains, la chose ne provoque aucun sursaut de rage. Plus personne ne s'attend à un soulèvement des « damnés de la terre », et ce serait d'ailleurs effrayant s'ils se soulevaient un jour et qu'ils faisaient du passé table rase, comme dans les couplets de *L'Internationale*. Une telle révolte ne déboucherait que sur un gigantesque bain de sang et sur une orgie de destruction. Ce n'est certainement pas ce que peuvent souhaiter ceux qui cultivent encore un idéal de progrès, de liberté, de décence, ou même d'égalité. Si les disparités sont inquiétantes de nos jours, ce n'est pas parce qu'elles risquent de provoquer des jacqueries planétaires, mais parce que la disparition de la boussole morale que représente le principe d'égalité contribue, dans chacun de nos pays comme pour l'humanité entière, à désagréger le tissu social.

Ce constat paraît évident pour ceux qui suivent jour après jour la marche du monde, même s'il n'est pas facile de l'étayer par des arguments probants. Comment démontrer qu'en des temps où l'enrichissement outrancier fascine et fait rêver, il est inévitable que la corruption se propage au sein des classes dirigeantes, et dans l'ensemble de la société ? Que lorsque l'égoïsme des individus et des clans est justifié, légitimé, voire considéré comme un instrument de la Providence, les liens de solidarité entre les différentes composantes de la population se distendent ? Que lorsque « les riches et les célèbres », fussent-ils voyous, sont érigés en modèles, c'est toute l'échelle des valeurs qui s'en trouve discréditée ?

La Fontaine avait illustré, dans *La Cigale et la Fourmi*, ce qui était la morale de son temps, et qui semblait avoir une validité universelle et perpétuelle, à savoir que le travail minutieux, appliqué, quotidien, était une valeur sûre, dont la cigale aurait dû s'inspirer au lieu de chanter « tout l'été ».

Dans la fable, la fourmi avait le beau rôle. Son assiduité au travail, en toute saison, lui valait l'approbation de tous, et mettait les rieurs de son côté. « Vous chantiez ? j'en suis fort aise, se moque-t-elle, Eh bien, dansez maintenant ! » La cigale était, si l'on peut dire, dans ses petits souliers. De nos jours, c'est l'inverse qui se produit. Les fourmis sont moquées, et dédaignées. Les jeunes qui ont vu leurs parents trimer toute leur vie, du matin au soir, sans jamais accéder à l'aisance matérielle, ni intégrer la classe moyenne, encore moins sortir de l'anonymat, éprouvent pour eux de la pitié plutôt que de l'estime. Rien ne les pousse à suivre leur exemple. Tout, au contraire, les incite à s'en démarquer, pour imiter ceux qui ont « réussi », ceux qui se sont enrichis, fût-ce par des rackets et des trafics sordides ; ou pour gagner, par n'importe quel moyen, leur quart d'heure au paradis de la notoriété.

On ne dira jamais assez quelles perturbations peut

provoquer, au sein d'une population, le renversement des modèles ; quand on se met à admirer ce qu'on a longtemps jugé répréhensible, et à mépriser ce qu'on a longtemps jugé exemplaire. A-t-on vraiment besoin de longues démonstrations pour comprendre qu'un quartier où les dealers sont plus admirés que les instituteurs devient un foyer de décomposition sociale ? Et quand la société entière se trouve dans des dispositions d'esprit similaires, quand les activités pécuniairement lucratives sont plus valorisées que celles qui sont socialement utiles, les conséquences, dévastatrices, sont impossibles à maîtriser. Tous les comportements des citoyens en sont affectés...

*

Comme beaucoup de ceux qui s'occupent d'art ou de littérature, je me sens aussi proche de la fourmi que de la cigale, et je me garderai bien de juger l'activité de l'une plus recommandable que celle de l'autre. Ma principale crainte, ici encore, c'est de voir les facteurs qui fragmentent les sociétés humaines prendre le pas sur ceux qui les cimentent.

J'avais évoqué, dès les premières pages de ce livre, le paradoxe si troublant d'un monde qui ne cesse de progresser dans les sciences, les innovations technologiques, comme dans le développement économique, mais qui, dans d'autres domaines essentiels, notamment tout ce qui concerne les rapports entre les différentes communautés humaines, piétine, et semble même régresser.

On se retrouve au cœur même de ce paradoxe lorsqu'on se penche sur les effets produits dans les dernières décennies par les doctrines économiques, sociales et politiques fondées sur « la main invisible ». D'un côté, elles ont libéré les énergies, stimulé les échanges et accéléré l'innovation. Dans le même temps, leur dénigrement du rôle régulateur des pouvoirs publics et leur glorification de l'enrichissement à outrance ont sapé l'idée même d'intérêt général, et affaibli les liens entre les citoyens.

Ce revers de la médaille me paraît incontestable, et lourd de conséquences, même s'il est difficile à cerner. Comment calculer, dans un pays, la perte du sens civique ? Comment mesurer le relâchement ou le resserrement des rapports entre les diverses composantes d'une population ? Comment démontrer qu'un lien existe entre la méfiance envers les autorités publiques et la montée du communautarisme, de la violence ou de la corruption ? On est ici dans l'insaisissable et dans l'inquantifiable, il ne servirait à rien d'accumuler les chiffres et les faits.

Mon sentiment, néanmoins, c'est que la dérive que connaît l'humanité de nos jours n'est pas sans rapport avec le changement introduit par les révolutions conservatrices dans la manière de percevoir le rôle des pouvoirs publics.

Afin d'expliciter ma pensée, je commencerai par demander : Qu'est-ce qui cimente les sociétés humaines ? Qu'est-ce qui donne à des personnes ou à des groupes le désir de vivre ensemble, la volonté d'appartenir à une même collectivité, à une même nation ? Ce n'est pas un questionnement purement rhétorique, je m'interroge sincèrement et je n'ai pas d'opinion arrêtée. Beaucoup de facteurs peuvent souder les habitants d'un pays : le sentiment d'avoir un avenir commun, des ancêtres communs, des valeurs communes, voire un ennemi commun... La liste n'est pas exhaustive, et elle varie selon les époques.

L'une des caractéristiques de ce siècle, c'est justement qu'il y a de moins en moins de facteurs qui rassemblent. J'ai failli ajouter : surtout quand il s'agit des nations plurielles. Mais la précision est superflue. Plurielles, elles le sont toutes, même si certaines l'admettent plus volontiers que d'autres. Et toutes, donc, ont du mal à tisser des liens solides entre des personnes, des familles et des communautés ayant eu des itinéraires différents.

Les recettes traditionnelles qui ont formé les nations au cours des siècles ne servent plus beaucoup de nos jours. Si l'on n'a pas des ancêtres communs, on ne peut pas les inventer de toutes pièces. Et s'il n'existe pas un « roman national » accepté spontanément par tous, on ne peut pas l'imposer non plus. Même les valeurs communes ne jouent plus vraiment leur rôle de « ciment ». On aimerait qu'elles le jouent, on fait comme si elles le jouaient, mais c'est trop souvent, hélas, une fiction indulgente plutôt qu'un reflet de la réalité.

Et l'on se retrouve, partout dans le monde, démuni, désemparé, à disserter sur l'intégration, sur l'inclusion, sur les vertus de la diversité, tandis que les solidarités amples s'effilochent, et qu'on en revient – régression, encore ? – aux solidarités innées, qui sont à la fois les plus visibles et les plus viscérales, et qui ne nécessitent aucune vraie liberté de choisir. Il suffit que chacun suive sa pente, comme l'y invite « l'esprit du temps ».

On pourrait aligner tant d'exemples ! Je me contenterai d'évoquer ici celui des tensions raciales aux États-Unis. On aurait pu penser qu'après tant d'avancées en matière de droits civiques, et surtout après le fort symbole qu'a représenté l'élection de Barack Obama à la présidence, ces tensions allaient s'atténuer. C'est l'inverse qui s'est produit, elles se sont plutôt envenimées.

Il va de soi que les Américains d'origine anglo-saxonne, hispanique ou africaine ne se reconnaissent pas les mêmes ancêtres. Mais l'on pouvait espérer qu'ils se reconnaîtraient désormais une vision similaire de la nation, et une destinée commune. Il est clair qu'on ne va pas dans cette direction.

Aurait-il pu en être autrement ? Est-il aberrant de supposer que les tensions raciales auraient été moins fortes si on n'avait pas laissé libre cours aux inégalités ? Et si Reagan n'avait pas déclaré la guerre au *welfare state* et à la mythique *welfare queen* ?

La manière dont j'ai tourné cette interrogation trahit ma conviction intime. Je suis effectivement de ceux qui pensent que lorsqu'on investit intelligemment dans l'harmonisation sociale, on peut atténuer les tensions entre les différentes composantes d'une nation. Je suis même tenté de redire ici ce que j'ai dit à propos de Mandela et de sa manière de remédier aux tensions raciales dans son propre pays : il arrive que la générosité soit la moins mauvaise solution ; et il arrive qu'une bonne action soit aussi une bonne affaire.

Le souci d'objectivité me commande néanmoins d'ajouter que, jusqu'ici, l'Histoire n'a pas encore tranché. Ni sur la question épineuse des relations raciales en Afrique du Sud ou aux États-Unis ; ni sur cette autre question, plus vaste et déjà très ancienne, qui est celle du rôle que les pouvoirs publics devraient ou ne devraient pas jouer dans la répartition des richesses. Je ne suis pas insensible à l'argument de ceux qui s'insurgent contre les absurdités bureaucratiques, ou contre l'alourdissement continuel des impôts et des taxes. Cependant, il me semble que l'État possède un rôle subtil, insaisissable, et pourtant irremplaçable. Il contribue, de mille manières, à tisser des liens, ce qui renforce le sentiment d'appartenance commune ; quand il est systématiquement dénigré, il ne peut plus remplir ce rôle.

De ce fait, s'il est raisonnable d'admettre que l'État, comme disait Reagan, peut parfois être « le problème », il est tout à fait légitime de se demander si l'absence d'État n'est pas, quelquefois, un problème plus grave encore.

3

Au nombre des transformations majeures apportées par les révolutions conservatrices, j'ai eu l'occasion de mentionner, en plus de la remise en cause du rôle de l'État, l'exacerbation croissante des sentiments identitaires. Il me semble que l'effet conjugué de ces deux éléments explique, dans une large mesure, la dérive que connaît l'humanité en ce siècle.

S'agissant du premier, son impact est difficile à cerner, comme on l'a vu plus haut. Ce qui n'est pas le cas du second, dont les nuisances sont visibles à l'œil nu. Les déchaînements identitaires ont empoisonné l'atmosphère de la planète entière et de chaque société en particulier. Mais si les violences qui en résultent s'étalent chaque jour devant nous, le discours qui les sous-tend « brouille les pistes », en quelque sorte, puisqu'il parle constamment de solidarité, de fraternité ou de réparation des injustices, et il n'est pas toujours facile de reconnaître, par-delà les mots rassembleurs, les effets pervers.

C'est à cela que je faisais allusion quand j'ai parlé des facteurs qui cimentent réellement les sociétés humaines par opposition à ceux qui sont censés le faire et qui ne le font pas. Il est certain, par exemple, que l'appartenance religieuse est constamment invoquée dans les discours identitaires, et qu'elle se révèle redoutablement efficace pour installer dans l'esprit des coreligionnaires une nette distinction entre « nous » et « les autres ». Mais, à y regarder de près, elle représente rarement un facteur de cohésion. Même parmi les fidèles. C'est particulièrement vrai quand il s'agit des grandes religions planétaires. Plus celles-ci ont réussi à s'étendre, à conquérir et à convertir, moins elles sont en mesure de tisser des liens politiques solides entre leurs adeptes. Tout au plus peuvent-elles favoriser certaines affinités culturelles. Mais les solidarités fortes sont plutôt l'apanage des petites communautés qui, se sentant vulnérables, éprouvent le besoin de faire bloc, ce qui leur assure souvent une influence sans commune mesure avec leur importance numérique.

Que de fois on entend dire de ces communautés qu'elles jouent un rôle majeur « bien qu'elles soient minoritaires ». Il serait plus exact de dire qu'elles prévalent « parce qu'elles sont minoritaires ». Comme le notait déjà l'historien Ibn Khaldoun au XIVᵉ siècle, « l'esprit de clan » vient plus facilement aux groupes restreints ; il renforce leur cohésion et leur assure parfois un avantage décisif dans leurs rapports avec les autres. L'un des cas les plus connus de nos jours est celui des Alaouites de Syrie, dont est issue la famille Assad ; des hommes appartenant à cette communauté ont réussi à prendre le contrôle de l'armée dans les années soixante, puis à s'emparer du pouvoir et à le conserver indéfiniment. Un phénomène comparable s'est produit en Irak avec le clan sunnite arabe dont était issu Saddam Hussein ; et il a fallu une invasion massive des troupes américaines pour desserrer son emprise.

Une cohésion aussi forte ne peut exister qu'au sein d'une communauté compacte. Elle ne serait pas concevable pour un ensemble plus vaste, et surtout pas pour les immenses « aires de civilisation » correspondant aux grandes religions planétaires que sont le christianisme, l'islam ou le bouddhisme, dont les fidèles sont majoritaires dans de nombreux pays, et qui représentent, à elles trois, plus de la moitié de la population mondiale.

Du fait même de leur prodigieuse expansion, elles se sont implantées dans des sociétés très diverses, entre lesquelles on trouve d'énormes disparités en termes de langues, de traditions culturelles, de systèmes politiques ou familiaux ; des sociétés qui ont parfois entre elles des querelles territoriales, des conflits d'intérêts, ou même simplement des détestations confuses dont les raisons se perdent dans la nuit des temps ; des sociétés où, en brandissant l'étendard de la religion, on ne règle pas les conflits, on les attise.

Un exemple me semble fort éloquent en la matière. En 1947, les autorités britanniques décidèrent d'accorder l'indépendance au sous-continent indien, mais en le divisant en deux grands États : aux hindouistes, l'Inde ; aux musulmans, le Pakistan.

Pour les premiers, les choses ne se sont pas trop mal passées. L'hindouisme, même s'il rassemble plus d'un milliard d'adeptes, est demeuré, pour l'essentiel, la religion d'un seul pays ; et, en raison de cela, un facteur de relative cohésion nationale. Je suis persuadé que l'Inde aurait progressé plus vite et plus harmonieusement s'il n'y avait pas eu cette déchirante et traumatisante partition ; notamment parce qu'une importante population musulmane, traditionnellement hostile au système des castes, aurait probablement secoué certaines pesanteurs séculaires. Je ne m'efforcerai pas à le démontrer, c'est juste un sentiment intime... Ce qui, en revanche, ne fait aucun doute, parce qu'il ne s'agit pas d'une intuition personnelle mais d'une réalité avérée, c'est que, pour les musulmans du sous-continent, la séparation a été une gigantesque tragédie.

L'idée était qu'ils se retrouvent entre eux, à mener leur propre barque, avec l'ambition de faire mieux que leurs voisins, et de donner l'exemple. Les pères fondateurs du Pakistan, qui étaient souvent des hommes de valeur, étaient persuadés que l'islam allait « cimenter » la nouvelle nation, au sein de laquelle s'étaient rassemblés plusieurs peuples, aux langues différentes, aux traditions sociales différentes, mais qui avaient en commun la même religion.

Les plus importants par le nombre étaient les Bengalis, qui vivaient dans ce qui était alors le Pakistan oriental. Mais ils se sentaient négligés par le pouvoir central, installé au Pakistan occidental, et dominé par les Pendjabis. Les tensions attinrent leur paroxysme lorsque le Bengale fut dévasté, en novembre 1970, par un gigantesque cyclone tropical, l'un des plus meurtriers de l'Histoire. Il y eut au moins deux cent cinquante mille morts, et peut-être même cinq cent mille.

Persuadée que le gouvernement central n'avait pas fait ce qu'il fallait pour secourir les victimes, la province orientale entra en rébellion et proclama unilatéralement son indépendance, adoptant le nom de Bangladesh. Les autorités pakistanaises tentèrent de s'y opposer par la force, mais elles furent mises en échec par l'armée indienne, et durent se résigner.

Je me suis rendu dans le nouvel État peu après sa création. Les effets du cyclone étaient encore perceptibles, même s'il m'était difficile de faire la différence entre les malheurs causés par le cataclysme et ceux qui étaient dus à la misère chronique. Des familles avaient élu domicile au ventre de larges tuyaux cylindriques, et elles étaient malgré tout moins mal loties que d'autres, qui vivaient au bord des routes, sans murs et sans toit.

Mais les pires images que j'y ai vues ne sont pas celles-là. Ce sont celles de la détresse insoutenable d'une ethnie minoritaire, les Biharis. Musulmans émigrés de la province indienne dont ils portaient le nom, fortement attachés à l'unité du Pakistan qui était devenu leur patrie, ils avaient pris fait et cause pour le gouvernement central, contre les séparatistes, et à l'heure de l'indépendance ils furent traités collectivement comme des ennemis de la nouvelle nation. Plus pauvres que les plus pauvres puisqu'on leur avait confisqué tout ce qu'ils possédaient, ils étaient enfermés dans des bâtiments nus et insalubres, en attendant qu'on statue sur leur sort.

J'ai dit « enfermés » ? À vrai dire, ils ne l'étaient pas vraiment, les gardes armés aux portes empêchaient les « patriotes » de l'extérieur de venir molester les « traîtres », qui se gardaient bien, quant à eux, de s'aventurer hors de leur lieu de confinement.

J'ai souvent repensé au sort peu enviable des Biharis, même si bien d'autres peuples sont venus s'ajouter depuis à la liste des vaincus de l'Histoire et des persécutés – notamment, en cette même région d'Asie méridionale, les Rohingyas. Dans un monde où prévaut le bouillonnement identitaire, chacun est forcément un traître aux yeux de quelqu'un, et parfois aux yeux de toutes les parties à la fois. Tout minoritaire, tout migrant, tout cosmopolite, tout porteur de deux nationalités est potentiellement un « traître »...

*

Avec le recul, l'exemple pakistanais m'inspire quelques autres observations, plus inquiètes encore.

La première, c'est que lorsqu'on entre dans une logique de « partition », le morcellement a tendance à se poursuivre sans limites. On commence par séparer les musulmans des hindouistes. Puis on sépare les Bengalis des Pendjabis. Mais au sein de l'État où ces peuples prédominent, il y a d'autres peuples encore, qui craignent d'être bafoués, persécutés, voire anéantis ; ne devraient-ils pas avoir, eux aussi, leur propre pays ?

« Pour chaque petit poisson, il y a un poisson plus petit encore », m'avait dit un jour un historien désabusé. De fait, à partir du moment où l'on considère que la séparation est une solution adéquate, le « saucissonnage » n'a plus aucune raison de s'arrêter...

Deuxième observation : en devenant majoritaire dans un pays, une population ne devient pas plus tolérante, mais paradoxalement moins tolérante. Je dis « paradoxalement », parce qu'en principe, si l'on veut se retrouver entre soi, c'est pour ne pas avoir à redouter les empiétements d'un groupe rival ; on devrait donc se montrer plus serein et plus magnanime quand on devient très largement majoritaire. Hélas, les choses ne se passent pas ainsi. C'est même le contraire : tant que les minorités conservent un poids significatif, leur sensibilité propre est prise en compte dans le débat public, ce qui incite les forces politiques à chercher un moyen d'organiser la vie commune dans un esprit d'équité et d'harmonie. À l'inverse, quand les communautés minoritaires deviennent insignifiantes, quand la seule opinion qui compte est celle du groupe majoritaire, on entre dans une tout autre logique, celle de la surenchère.

Tous les pays qui instaurent un système communautariste finissent par connaître une telle dérive, mais celle-ci a atteint, au Pakistan, une sorte de paroxysme outrancier, un déchaînement d'intolérance rarement observé ailleurs. Toutes les minorités y sont persécutées et humiliées, et tous ceux qui cherchent à les défendre ou à apporter dans la vie publique un peu de raison et de sérénité subissent le même sort. Ce qui constitue une tragédie pour la population entière, toutes communautés confondues.

L'homogénéité est une coûteuse et cruelle chimère. On paie cher pour l'atteindre, et si jamais l'on y parvient, on le paie plus cher encore.

Ma troisième observation se fonde sur les deux premières en élargissant quelque peu leur propos. Je me demande si l'égarement des hommes, tel que nous le constatons aujourd'hui, n'est pas dû en partie à cette détestable habitude que l'on a prise, à partir du XIXe siècle, de morceler les ensembles où se côtoyaient plusieurs nations, afin que chacune d'elles vive séparément.

Il m'arrive même de penser que la théorie selon laquelle les empires sont « des prisons pour les peuples », dont ces derniers doivent se libérer pour commencer à vivre « chez eux », sous leur propre gouvernement, à l'intérieur de leurs propres frontières, est la plus meurtrière des temps modernes.

Je songe surtout au sort des deux grandes entités pluri-ethniques qui furent morcelées au lendemain de la Première Guerre mondiale : l'Empire austro-hongrois, dont l'éclatement a fait des dizaines de millions de victimes et favorisé l'émergence des pires tyrannies ; et aussi l'Empire ottoman, dont le démembrement se poursuit encore de nos jours, faisant planer sur l'humanité entière le spectre de la terreur et de la régression.

Pour autant, je ne suis pas dans la nostalgie envers ces empires. Mon rêve n'est sûrement pas de les voir restaurés. Ni celui des Habsbourg, ni celui des tsars, et encore moins celui des sultans. Ce que je regrette, c'est la disparition d'un certain état d'esprit qui a existé du temps des empires, et qui considérait comme normal et légitime que des peuples vivent au sein d'une même entité politique sans avoir forcément la même religion, la même langue, ni la même trajectoire historique. Jamais je ne cesserai de combattre l'idée selon laquelle les populations qui pratiquent des langues ou des religions différentes feraient mieux de vivre séparément les unes des autres.

Jamais je ne me résoudrai à admettre que l'ethnie, la religion ou la race constituent des fondements légitimes pour bâtir des nations.

À combien de faillites lamentables, à combien de carnages et de « purifications » faudra-t-il assister encore avant que cette approche barbare des questions identitaires cesse d'être considérée comme normale, réaliste, et « conforme à la nature humaine » ?

4

J'ai évoqué, au fil des chapitres, mes regrets, mes remords, ma nostalgie ou ma mélancolie. À l'heure des bilans, de telles notions viennent forcément à l'esprit, et l'on ne peut s'empêcher d'en faire état bien qu'on les sache souvent inadéquates et impropres, voire complètement irrationnelles. Que de fois me suis-je lamenté de la disparition d'un « paradis terrestre » que je n'ai pas connu ! Que de fois ai-je éprouvé de l'embarras, peut-être même un pincement de culpabilité, pour des comportements qui ont eu lieu bien avant ma naissance ! Comme si, en recueillant l'héritage moral de ceux qui m'ont précédé, je me devais d'assumer aussi leurs illusions, leurs désillusions et leurs égarements.

C'est pour éviter de tomber continuellement dans de tels travers que j'ai pris l'habitude de désigner toutes les tragédies qui ont affecté mon époque et ma propre existence par un même vocable, le plus anodin qui soit, celui de « tristesse » – quelquefois au pluriel, afin de relier le sentiment diffus à des réminiscences distinctes.

Mes tristesses racontent toutes la même histoire, celle d'une grande espérance qui a fini déçue, trahie, dénaturée ou anéantie. Tristesses successives pour les deux paradis de mon enfance, celui de ma mère puis celui de mon père. Tristesse pour les peuples du Levant, tous sans exception, ceux qui sont censés être « les autres » comme ceux qui sont censés être « les miens », et qui se noient dans le même marécage tout en continuant à se maudire. Tristesses récurrentes pour les sociétés arabes qui, une ou deux fois par génération, tentent de décoller, s'élèvent un peu, puis retombent lourdement à terre comme des faucons aux ailes brisées. Et tristesse aussi pour les idéaux généreux qui ont animé ma jeunesse et qui, au crépuscule de ma vie, se retrouvent malmenés et déconsidérés : l'universalité, le sens ascendant de l'Histoire, le foisonnement harmonieux des cultures, la convergence des valeurs, et l'égale dignité des humains.

L'une de mes grandes tristesses d'aujourd'hui concerne l'Europe. Lorsqu'il m'arrive d'en parler, on me répond invariablement que je suis beaucoup trop exigeant, que je devrais garder à l'esprit ce qu'a été ce continent pendant des siècles et jusqu'à une date pas si lointaine : un champ d'affrontement entre nationalismes déchaînés, un terrain d'expérimentation pour les pires barbaries… Ces pages sombres ne sont-elles pas tournées, désormais, et pour toujours ? On franchit la frontière franco-allemande sans même s'en rendre compte, comme si l'on était encore dans le même pays, comme s'il n'y avait jamais eu de combats sanglants pour la possession de l'Alsace-Lorraine. Et à Berlin on passe d'un quartier de l'Ouest à un quartier de l'Est sans prêter attention au tracé de l'ancien Mur. Dans quelle autre partie du monde a-t-on connu cela ? Certainement pas dans ma région natale. Qui a suivi, quant à elle, le chemin inverse, au point que plusieurs de ses contrées et de ses villes, que je pouvais, dans ma jeunesse, parcourir sans trop de risques, sont devenues impraticables.

Je ne voudrais donc pas minimiser les progrès remarquables accomplis par les Européens depuis la fin de la Seconde Guerre mondiale. Je les applaudis de tout cœur. Mais je ne puis nier que j'éprouve aujourd'hui un certain désenchantement. Car j'attendais autre chose de mon continent d'adoption : qu'il offre à l'humanité entière une boussole, qu'il lui évite de s'égarer, qu'il l'empêche de se décomposer en tribus, en communautés, en factions et en clans.

Quand je contemple les turbulences de ce siècle, il m'arrive de regretter qu'il n'existe aucune autorité politique et morale vers laquelle nos contemporains pourraient se tourner avec confiance, et avec espoir ; aucune qui soit à la fois porteuse de valeurs universelles, et réellement capable d'influer sur la marche de l'Histoire. Et quand je promène mon regard sur le monde en me demandant, non sans angoisse, qui pourrait aujourd'hui assumer une telle tâche, il m'apparaît que seule l'Europe serait en mesure de le faire, si elle s'en donnait les moyens.

Pourquoi l'Europe ? À vrai dire, elle n'est pas « le candidat naturel » pour ce rôle. En toute logique, celui-ci devrait plutôt échoir aux États-Unis d'Amérique. Ils ont depuis longtemps la volonté d'exercer un leadership global, et ils possèdent l'essentiel des qualités requises. Les principes sur lesquels leur Union a été fondée révèlent, dès l'origine, un indéniable souci d'universalité, et leur composition ethnique reflète la diversité du monde ; de manière très imparfaite, certes, mais plus que d'autres grands pays. Surtout, ils se sont hissés, au cours du XXe siècle, à la toute première place parmi les Puissances, et dans tous les domaines : la production industrielle, la force militaire, la recherche scientifique, l'influence politique et intellectuelle, etc. Ayant remporté trois confrontations planétaires majeures, la Première Guerre mondiale, puis la Seconde, ensuite la guerre froide, ils ont acquis, parmi les nations, une primauté que nul ne peut sérieusement leur contester. En toute logique, ils auraient dû devenir, pour l'humanité entière, l'autorité de référence, et pour longtemps. Mais ils n'ont pas su se montrer à la hauteur de cette tâche.

Le plus étonnant, c'est que leur échec, aujourd'hui patent, n'est pas dû à la perte de leur puissance – qui, à l'heure où j'écris ce livre, demeure formidable –, ni à l'action de leurs adversaires, mais à l'incapacité de leurs dirigeants successifs à assumer de manière cohérente la suprématie qu'ils ont acquise.

*

Les nombreux détracteurs du président Donald Trump aiment à croire que c'est de son mandat que date l'effritement de la stature morale de son pays. De mon point de vue, le tournant décisif a été pris beaucoup plus tôt, au moment même où s'achevait la guerre froide. Les États-Unis se sont alors retrouvés dans une position à laquelle aucune autre nation n'avait pu prétendre depuis l'aube de l'Histoire, celle de l'unique superpuissance planétaire. Ils étaient en mesure de poser à eux seuls les bases d'un nouvel ordre mondial ; plus personne ne mettait sérieusement en doute leur primauté.

Le dernier dirigeant de l'Union soviétique, Mikhaïl Gorbatchev, avait résolu d'engager son pays sur la voie de la libéralisation économique et politique, et il se montrait prêt à abandonner l'empire que Staline s'était taillé à l'est de l'Europe au lendemain de la Seconde Guerre mondiale. Face à cette situation inattendue, et qui dépassait leurs plus folles espérances, les responsables américains avaient le choix entre deux attitudes. Soit ils accompagnaient l'évolution enclenchée par Gorbatchev, lui apportant leur soutien économique et politique afin de faciliter la difficile et courageuse transition qu'il était en train d'opérer. Soit ils profitaient de l'affaiblissement manifeste de la superpuissance adverse pour la terrasser définitivement.

Pour les États-Unis, c'était un vrai dilemme. Depuis plus de quarante ans, ils faisaient face à un rival redoutable, qui les avait combattus farouchement sous toutes les latitudes, et dont l'arsenal militaire constituait pour eux un péril mortel. À présent que cet adversaire était à terre, fallait-il l'aider à se relever ? Ne fallait-il pas plutôt profiter de l'occasion qui se présentait pour s'en débarrasser une fois pour toutes ? C'est cette dernière option qui paraissait la plus réaliste, et c'est elle qui fut adoptée. On ne fit rien pour sauver Gorbatchev, on laissa l'Union soviétique se dissoudre, puis l'on entreprit de la démembrer. Plusieurs de ses anciennes républiques furent intégrées au sein de l'Alliance atlantique, malgré les protestations véhémentes de Moscou.

Quelques voix s'élevèrent à Washington pour dire que l'on faisait fausse route. La plus remarquable était celle de George F. Kennan, un vieux diplomate unanimement respecté, au point d'être devenu une légende vivante et une icône. C'est lui qui avait prévenu l'Amérique des années quarante, encore naïve envers son allié soviétique, qu'elle ne devait pas se montrer trop confiante, et qu'un affrontement sévère et de longue durée allait avoir lieu entre les deux camps mondiaux ; c'est également lui qui, le premier, souligna la nécessité d'un dispositif visant à « endiguer » l'Union soviétique – ou, pour reprendre l'anglicisme qui a prévalu, à la « contenir » – militairement, politiquement, idéologiquement, afin de limiter son expansion. De ce fait, chacun lui reconnaissait un rôle décisif dans la victoire remportée par l'Occident, et qui avait été couronnée en 1989 par la chute du mur de Berlin. L'homme était fêté partout comme l'un des principaux concepteurs de la stratégie gagnante, et comme un modèle de lucidité et de ténacité.

À présent que la victoire qu'il avait souhaitée était acquise, Kennan disait en substance à ses compatriotes, et notamment aux décideurs qui le consultaient : « N'oublions pas pour quelle raison nous nous sommes battus ! Nous voulions faire triompher la démocratie sur la dictature, et nous y avons réussi. Nous devons en tirer les conséquences. Nous ne pouvons continuer à traiter nos ennemis d'hier comme s'ils devaient rester des ennemis pour toujours ! » Ce qui caractérisait le vieux diplomate, c'est que sa détestation militante du système soviétique s'accompagnait d'un amour profond du peuple russe, de sa culture, de sa littérature – en particulier de Tchékhov.

Il eut beau répéter qu'en humiliant les Russes, on allait favoriser la montée des courants nationalistes et militaristes, et retarder la marche du pays vers la démocratie, on n'a pas voulu l'écouter. Comme cela arrive trop souvent, hélas, la magnanimité qu'il préconisait est apparue, à l'heure du triomphe, comme une attitude de faiblesse et de naïveté. L'opinion qui a prévalu, c'est qu'il fallait pousser son avantage, sans hésiter, sans se laisser amollir par les scrupules moraux ou les finasseries intellectuelles. Lorsque le président Clinton demanda à l'un de ses conseillers, en 1997, s'il ne fallait pas écouter les avertissements de Kennan, il s'entendit répondre que le vieux diplomate se trompait, et que les Russes finiraient par accepter tout ce qu'on leur imposait parce qu'ils n'avaient pas le choix.

On aurait tort de jeter la pierre à tel ou tel président américain, ou à ses conseillers. Car la mission qui leur incombait au sortir de la guerre froide était ardue, et délicate. Il ne s'agissait pas pour eux d'endosser un rôle, mais de l'inventer de toutes pièces, dans un paysage planétaire inédit. J'insiste sur ce point, qui me paraît essentiel pour comprendre comment la grande nation américaine a dérivé ainsi, entraînant l'humanité entière dans son sillage.

Devenir, pour tous les pays du monde, une sorte de puissance « parentale », guidant les uns, admonestant les autres, n'ayant pas d'autres ennemis que ceux du genre humain – ce rêve missionnaire a toujours existé parmi les responsables américains, et il s'était manifesté au lendemain de la Première Guerre mondiale, puis au lendemain de la Seconde. Les États-Unis avaient œuvré à la reconstruction de l'Europe grâce au plan Marshall, ainsi qu'à la transformation du Japon en une puissance pacifique et démocratique.

Mais l'objectif qui justifiait ces efforts était précisément de mieux faire face au défi du communisme soviétique. L'idée même d'une stratégie mondiale qui ne fût pas focalisée sur la lutte contre un ennemi paraissait absurde. Vouloir que tous les pays du monde deviennent des alliés ou des protégés, cela allait à l'encontre de tout ce qui s'est pratiqué en politique depuis l'aube des temps. C'est toujours contre quelqu'un qu'on se mobilise, qu'on affûte ses armes, et qu'on bâtit des alliances. L'ennemi menaçant est trop souvent, hélas, comme une étoile polaire sans laquelle on ne sait plus où l'on va, ni ce que l'on fait, ni même qui l'on est. Je ne suis pas de ceux qui pensent qu'il en sera toujours ainsi, mais l'on fonctionne de la sorte depuis si longtemps qu'il faudrait se montrer extrêmement inventif et audacieux pour imaginer une autre manière de percevoir le monde, les autres et soi-même.

C'est précisément cette audace et cette inventivité qui étaient requises des dirigeants américains au sortir de la guerre froide. Quelle devait être la ligne de conduite d'une superpuissance qui n'avait plus aucun rival à sa taille ? Comment devait-elle se comporter avec ses anciens ennemis ? Devait-elle les aider à se reconvertir et à se redresser ? Et avec ses anciens alliés ? Devait-elle continuer à les traiter comme des amis et des protégés, ou bien devait-elle désormais voir en eux les rivaux commerciaux qu'ils étaient ? Et avec le reste du monde ? Fallait-il jouer le rôle du proverbial « gendarme planétaire », ou bien laisser les innombrables nations, tribus et factions s'affronter les unes les autres à leur guise ? Chacune de ces attitudes comportait des avantages, des risques et des incertitudes.

Avec le recul, il apparaît clairement que les États-Unis n'ont pas su passer avec succès l'examen difficile auquel l'Histoire les avait soumis. Au cours des trois décennies qui ont suivi leur triomphe et leur couronnement, ils se sont montrés incapables de définir un nouvel ordre mondial, incapables d'asseoir leur légitimité en tant que « puissance parentale », et incapables de préserver leur crédibilité morale, qui est probablement plus basse aujourd'hui qu'à aucun autre moment au cours des cent dernières années. Leurs adversaires d'hier sont redevenus leurs adversaires, et leurs alliés d'hier ne se sentent plus vraiment leurs alliés.

L'affaissement moral ne s'est pas produit en une seule fois, mais par une longue série de dérapages, de cafouillages, de reculades ou de faux pas, et sous plusieurs présidents successifs, dont les choix politiques étaient aux antipodes les uns des autres.

Parfois, les États-Unis ont fait preuve de frénésie

interventionniste, comme lors de la guerre d'Irak en 2003 ; ils voulaient casser des régimes, refonder des nations, recomposer des régions entières en fonction de leur propre vision du monde. À d'autres moments, lassés de la trop lourde tâche qu'ils s'étaient imprudemment assignée, ils ont changé du tout au tout, se promettant de ne plus intervenir, de ne plus poser leurs bottes sur le sol brûlant, et de laisser les factions locales se massacrer à loisir. Cette dernière attitude a atteint son paroxysme en septembre 2013 quand, après avoir affirmé sans ambiguïté que l'usage des armes chimiques en Syrie était une ligne rouge qu'il était interdit de franchir, et qui entraînerait une réaction ferme de la part des États-Unis, le président Obama estima qu'il n'avait finalement pas intérêt à agir.

Il est à craindre que bien des prédateurs à travers le monde aient vu dans cette reculade une promesse d'impunité.

J'ai mentionné, au fil des pages, trois ou quatre épisodes marquants, j'aurais pu en citer tant d'autres. Comme tous mes contemporains, j'ai vu se déployer sur la scène mondiale, au cours des décennies écoulées, une Amérique aux innombrables visages. Une Amérique généreuse et une Amérique mesquine. Une Amérique arrogante et une Amérique timorée. Une Amérique blessée, un certain 11 septembre, à qui l'on avait envie de dire combien on la chérissait et combien on avait besoin de tout ce qu'elle était et de tout ce qu'elle avait donné au reste de la planète. Puis, deux ans plus tard, lors de la guerre d'Irak, une Amérique vicieuse, cynique, destructrice, insupportable.

Si je veux être juste, je me dois d'ajouter que de tels comportements n'auraient pas suscité la même indignation s'ils émanaient d'un autre pays. Mais la question n'est pas là. Il ne s'agit pas ici de déterminer si Washington a eu, face à telle ou telle crise, un comportement meilleur ou pire que celui de Berlin, de Paris, de Moscou ou de Pékin. Il s'agit de savoir si les États-Unis se sont montrés dignes de jouer, envers les autres nations, le rôle d'arbitre, ou de puissance tutélaire. Et la réponse à cette interrogation ne peut être que négative, hélas. L'échec de l'Amérique a été patent, il n'a cessé de s'accentuer, et il apparaît à présent difficilement réparable.

En cette phase délicate de l'histoire humaine, le besoin se fait sentir d'un « commandant » qui se préoccupe du sort du paquebot tout entier, pas uniquement de son propre sort. Cela aurait été à la fois risible et monstrueux si le commandant du *Titanic* avait hurlé dans son haut-parleur, lors de la ruée vers les canots de sauvetage : « Écartez-vous ! C'est moi qui passerai en premier ! »

5

L'Europe aurait-elle été capable d'assumer, mieux que les États-Unis, cette fonction « parentale » ? Poser elle-même les bases d'un nouvel ordre mondial adapté aux réalités nouvelles, en fixer les règles et les orientations, et les faire respecter par le reste de la planète ?

On ne le saura jamais, puisque le vieux continent ne s'est pas donné les moyens de jouer ce rôle. Mais je demeure persuadé qu'il aurait pu représenter, à tout le moins, un « copilote » attentif, capable de soutenir loyalement la fougueuse Amérique tout en s'efforçant de calmer ses ardeurs.

Pourquoi l'Europe ? Pour diverses raisons, dont aucune n'est déterminante en soi, mais qui, prises toutes ensemble, la prédisposent à s'acquitter mieux que d'autres de cette responsabilité historique.

La première raison, c'est que ce continent a été le lieu de naissance de la révolution industrielle, comme de la civilisation qui l'a accompagnée ; et donc, en quelque sorte, « l'atelier » où s'est forgée l'humanité moderne. Ce n'est pas faire injure à mon Levant natal, berceau des plus anciennes civilisations, que de reconnaître que, depuis deux ou trois siècles, tout ce qui compte dans son existence – les idées, les outils, les armes, ainsi que le mode de vie – lui est venu d'Europe.

Je n'évoque « mon » Levant qu'à titre d'exemple. C'est pour la planète entière que la civilisation européenne est devenue la référence. On peut légitimement s'irriter d'une telle suprématie ; et il est raisonnable de supposer qu'elle ne sera pas éternelle. Mais nul ne peut nier que cette civilisation représente aujourd'hui la norme par rapport à laquelle nous sommes tous amenés à nous positionner, vu que sa science est devenue *la* science, que sa technologie est devenue *la* technologie, que sa philosophie est devenue *la* philosophie, que sa conception de l'économie n'a plus de rivales crédibles, et que tout ce qu'elle n'a pas touché par ses grâces comme par ses nuisances est devenu marginal, archaïque, invisible, et comme inexistant.

Cette prééminence que je viens de décrire appartient à l'ensemble du monde occidental, les États-Unis au moins autant que l'Europe. Mais celle-ci possède, pour pouvoir jouer un rôle « parental » envers le reste du monde, des atouts supplémentaires dont sa « grande fille » d'outre-Atlantique ne dispose pas, aussi dynamique et aussi puissante soit-elle.

L'un des grands avantages du vieux continent, c'est que l'Histoire a inculqué à ses peuples, souvent dans la douleur, de précieuses leçons. Sans doute ont-ils conquis tous les territoires de la planète et les ont-ils longtemps dominés, mais ils ont fini par mesurer les limites de cette domination, ce qui les a rendus plus sages, plus responsables – et quelquefois aussi, avouons-le, plus timorés.

Chez la plupart des Européens, l'arrogance des colonisateurs a cédé la place à une attitude plus circonspecte, plus respectueuse des autres.

*

Tout aussi importantes à mes yeux sont les leçons que le continent a apprises de ses propres déchirements internes. En cherchant à les surmonter, il a entrepris d'écrire une page essentielle de l'histoire humaine.

Au lendemain de la Seconde Guerre mondiale, les concepteurs du projet européen ont compris qu'ils devaient impérativement reconstruire le continent sur de tout autres fondements, pour amener les différents peuples à s'élever au-dessus de leurs querelles séculaires, et à vivre désormais ensemble comme s'ils étaient les différentes branches d'une même nation.

L'idée n'était pas nouvelle, elle avait été exprimée, siècle après siècle, par d'éminentes personnalités – tels Erasme ou Victor Hugo, pour ne citer qu'eux. Mais il y a, de nos jours, des réalités spécifiques qui confèrent au projet européen une portée universelle.

En effet, ce qui caractérise la planète à notre époque, c'est qu'elle est divisée, comme l'Europe, en une multitude de pays indépendants, ayant chacun son histoire, son roman national, ses langues, ses croyances, ses références culturelles, et souvent aussi des conflits séculaires avec ses voisins.

Qu'ils en aient conscience ou pas, tous ces pays, grands ou petits, riches ou pauvres, auraient grand avantage à transcender leurs inimitiés et à s'assurer une présence forte dans le monde en s'intégrant à de vastes ensembles où toutes les nations, toutes les langues et toutes les cultures préserveraient leur existence et leur dignité.

Cela suppose, néanmoins, qu'il y ait un modèle dont ces divers pays pourraient s'inspirer. Un « projet-pilote », déjà en voie de réalisation, et qui montrerait de manière concrète comment rompre avec les comportements d'autrefois pour vivre désormais ensemble sous un même toit. Or, seul le projet européen aurait pu offrir un tel modèle, vu qu'il ambitionnait justement de rassembler des pays qui s'étaient affrontés tout au long de leur histoire, et qui cherchaient désormais à bâtir un avenir commun.

Si le vieux continent était parvenu à construire ses propres États unis, il aurait montré à l'humanité entière qu'un tel avenir était parfaitement plausible, pas seulement une utopie ou une chimère.

Il est vrai que, pour incarner pleinement un tel modèle de référence, l'Union européenne aurait dû se transformer en un État fédéral doté de tous les attributs d'une grande puissance globale, dans les domaines politique et militaire autant que dans le domaine économique, afin de pouvoir peser réellement sur la marche du monde. Mais elle n'a pas eu la volonté nécessaire. Sans doute les peuples n'avaient-ils pas beaucoup d'appétit pour un tel rôle. Et sans doute les dirigeants des différentes nations ne voulaient-ils pas se dépouiller de leur brin de souveraineté.

Le drame, pour les Européens, c'est que dans le monde impitoyable qui est le nôtre, si l'on renonce à devenir une puissance musclée, on finit par se faire bousculer, et malmener, et rançonner. On ne devient pas un arbitre respecté, on devient une victime potentielle, et un futur otage.

*

D'où l'immense frustration que j'éprouve aujourd'hui quand je médite sur le destin de mon continent d'adoption. Bien sûr, l'Union s'est construite, elle s'est étendue, et elle représente un immense progrès par rapport à l'époque antérieure. Mais c'est un édifice fragile, inachevé, hybride, et qui se retrouve à présent violemment ébranlé.

Je dis « hybride », parce que les pères fondateurs n'ont pas su choisir entre les deux voies qui s'offraient à eux : celle d'une véritable union, pleine et irréversible, à l'instar de celle des États-Unis d'Amérique ; ou celle d'une simple zone de libre-échange. Ils ont voulu croire que cette décision pourrait être prise plus tard. Mais elle ne le pouvait pas. Ce sur quoi on aurait pu s'entendre à six ou à neuf, on ne peut le décider à vingt-sept ou vingt-huit. Pas si l'on doit le faire à l'unanimité, comme c'est le cas aujourd'hui pour toutes les décisions fondatrices.

À vrai dire, on a fait preuve à la fois d'un excès de démocratie, en accordant à chaque État un droit de veto, ce qui interdisait toute avancée audacieuse en direction d'une véritable union ; et d'un déficit de démocratie, en choisissant de confier le pouvoir à Bruxelles à des commissaires nommés par les États, plutôt qu'à un gouvernement européen directement élu par les citoyens de l'Union.

Des peuples ayant une longue pratique de la démocratie ne peuvent se reconnaître dans des dirigeants qui n'ont pas reçu l'onction d'un vote populaire.

Il y aurait mille choses encore à dire sur cette expérience qui était, à mes yeux, l'une des plus prometteuses de toute l'histoire humaine, et qui est en train de se détricoter sous nos yeux. C'est là, pour moi, je le répète, l'une des grandes tristesses de notre époque. Même si je ne voyais des événements de la planète que cet effritement du rêve européen, je parlerais encore de naufrage…

6

J'ai peut-être poussé trop loin la métaphore maritime en laissant entendre que, faute d'un « commandant » fiable pour le guider, « le paquebot » des hommes ne pourra jamais éviter le naufrage. Mille fois on a prédit à notre espèce l'apocalypse, mais elle est toujours là, plus prospère, plus inventive, plus ambitieuse que jamais. Et en dépit de toutes ses pulsions destructrices, de toutes ses extravagances. Ne devrais-je pas croire, pour une fois, à une « main invisible » qui, siècle après siècle, nous préserve de l'anéantissement ?

Bien qu'une telle approche ne corresponde pas à ma vision des choses, je ne puis l'écarter sans autre forme de procès. Parce qu'elle contient, je dois le reconnaître, une part de vérité. Comme tous ceux qui ont connu l'époque de la guerre froide, j'ai vécu pendant des décennies dans la hantise d'un cataclysme nucléaire que l'on disait inéluctable. Que de fois nous a-t-on répété que les milliers d'ogives accumulées par les grandes puissances allaient forcément amener, par la faute d'un illuminé ou par une succession de dérapages, à un affrontement généralisé qui détruirait toutes nos civilisations ! Seul un naïf, nous disait-on, pouvait croire que le bras de fer entre les deux camps planétaires allait se terminer sans une conflagration apocalyptique.

C'est pourtant ce qui s'est produit. Le jour où l'un des deux protagonistes a pris l'avantage, le perdant s'est résigné à sa défaite sans qu'un seul missile ne soit lancé. Nous sommes sortis indemnes de ce champ de mines, comme si nous étions guidés, oui, par une main invisible. Serait-il aberrant d'espérer, face aux nouveaux périls qui pointent à l'horizon, qu'il nous suffira de faire confiance, une fois encore, à notre bonne étoile ?

J'ai longtemps voulu croire à cette vision rassurante de l'Histoire, et aujourd'hui encore, en dépit de toutes mes inquiétudes, une partie de moi s'y attache encore. Non que j'aie une foi aveugle en la sagesse des hommes, mais pour une tout autre raison, qui tient au caractère spécifique de notre époque et aux lois qui régissent ses transformations.

Le phénomène complexe que nous appelons « mondialisation » ou « globalisation » entraîne, de par la nature même des technologies qui l'accompagnent, un mouvement puissant et profond qui pousse les différentes composantes de l'humanité à se rapprocher les unes des autres. Leur voisinage forcé, qu'il soit physique ou virtuel, suscite à la fois des affinités et des aversions. À mes yeux, l'une des questions majeures de notre temps est celle de savoir laquelle de ces attitudes finira par prévaloir. Verra-t-on les tensions identitaires refluer, puis se dissiper ? Ou bien les verra-t-on s'aggraver encore, entraînant de plus en plus de morcellement et de désintégration ?

Quand on observe les événements du monde, on remarque surtout les manifestations d'aversion. Parce qu'elles sont puissantes, indéniablement ; mais aussi parce qu'elles sont plus voyantes, plus bruyantes, plus spectaculaires. Le mouvement inverse, celui qui procède de nos affinités, est plus subtil, beaucoup moins apparent, ce qui conduit trop souvent à le sous-estimer. Il s'agit pourtant d'une tendance historique robuste et vigoureuse, dont les effets peuvent se vérifier pour toutes les sociétés humaines.

Nos semblables n'ont jamais été à ce point nos semblables, serais-je tenté de dire. Ils ont beau s'opposer, se haïr, se combattre, ils ne peuvent s'empêcher de s'imiter les uns les autres. Où qu'ils soient, ils vivent avec les mêmes instruments dans les mains, ils ont accès aux mêmes informations et aux mêmes images, ils acquièrent continuellement des habitudes et des références communes.

Si nous avions autrefois spontanément tendance à reproduire les mêmes gestes que nos parents et que nos grands-parents, aujourd'hui nous avons plutôt tendance à reproduire spontanément les gestes de nos contemporains. Nous ne l'admettons pas volontiers. Nous conservons pieusement la légende selon laquelle la transmission se fait « verticalement », d'une génération à la suivante, au sein des familles, des clans, des nations et des communautés de croyants ; alors que la vraie transmission est de plus en plus « horizontale », entre contemporains, qu'ils se connaissent ou pas, qu'ils s'aiment ou se détestent.

Cette vision des choses m'a souvent réconforté, je

l'avoue, dans les moments de grande détresse. Lorsque j'observais autour de moi la montée des crispations identitaires ou le déchaînement des haines, je me rassurais en songeant que c'étaient là des combats d'arrière-garde, les soubresauts d'un monde déjà révolu, déjà obsolète, déjà en train de sombrer, et qui s'accrochait désespérément à ses pratiques et à ses préjugés d'autrefois.

*

Ce qui m'inquiétait un peu, néanmoins, et qui m'inquiète aujourd'hui davantage, c'est que cet élan rassembleur, tout en étant porté inconsciemment par l'ensemble de nos contemporains, n'est porté consciemment par personne. Ce mouvement souterrain est puissant, mais « orphelin », pourrait-on dire, dans ce sens que la plupart de nos contemporains, tout en étant modelés, transformés, reformatés par cette vague unificatrice aiguillonnée par les avancées technologiques, adhèrent cependant à des doctrines qui glorifient les particularismes.

En dépit de leurs conflits et de leurs détestations réciproques, nos contemporains se ressemblent donc chaque jour davantage. Ce paradoxe serait moins rassurant si on le formulait de la manière inverse : les progrès constants de l'universalité se sont accompagnés d'un affaiblissement de tous les mouvements et de toutes les doctrines qui prônent cette même universalité.

L'affirmation identitaire forte et souvent agressive constitue depuis toujours un élément essentiel du discours et de la conception du monde des forces qui ont aujourd'hui le vent en poupe, celles des révolutions conservatrices. La chose se vérifie à peu près partout, en Afrique comme en Europe, dans les pays arabes comme en Israël, en Inde ou aux États-Unis.

Le comportement de certaines forces traditionnellement situées à gauche est tout aussi inquiétant : elles levaient naguère l'étendard de l'humanisme et de l'universalisme, mais préfèrent aujourd'hui prôner des combats à caractère identitaire, en se faisant les porte-parole des diverses minorités ethniques, communautaires ou catégorielles ; comme si, renonçant à bâtir un projet pour la société tout entière, elles espéraient redevenir majoritaires en coalisant les ressentiments.

Il n'y a là rien d'indigne ni de répréhensible, d'autant que les revendications des minorités opprimées possèdent souvent une authentique légitimité morale. Mais lorsqu'on fonde sa stratégie sur de tels clivages, on contribue inévitablement au morcellement et à la désintégration.

Ce changement de perspective et de langage chez les tenants du progressisme est la conséquence d'un phénomène que j'ai déjà évoqué dans ce livre, à savoir le renversement du « rapport de force » intellectuel dans le monde, avec la montée inexorable des forces conservatrices, qui fixent désormais les termes du débat. Les perdants sont contraints de délaisser leurs propres « outils de pensée » pour emprunter ceux des gagnants, en s'efforçant de les utiliser à leur avantage. Les doctrines qui glorifient l'universalité se sont tellement déconsidérées dans les dernières décennies que tous les particularismes s'en sont trouvés en quelque sorte légitimés.

La faute en revient avant tout aux errements du marxisme, mais ce n'est pas lui seulement qui en subit les conséquences. Dans la plupart des communautés humaines, on encourage aujourd'hui les affirmations identitaires, et l'on juge naïves, timorées ou même suspectes les attitudes plus nuancées, plus équilibrées, plus œcuméniques. Bien des populations, qui avaient longtemps été à l'avant-garde du combat pour l'universalité, s'en sont trouvées déboussolées. Il suffit de promener son regard sur des sociétés qui furent longtemps des phares pour l'humanité entière, pour mesurer l'ampleur des dégâts.

Je pense, par exemple, aux Pays-Bas et aux pays scandinaves, qui ont été des pionniers dans la pratique de l'ouverture et de la tolérance, et qui ont de plus en plus de mal à maintenir ce cap. Je pense à l'Angleterre, dont le système politique, qui a longtemps été un exemple pour la terre entière, est en train de voler en éclats sous l'effet d'une démagogie nationaliste qui frise l'escroquerie. Et je pense également à l'Italie, dont la vie politique et intellectuelle fut, pour ma génération, une référence permanente et un sujet d'admiration, et qui devient méconnaissable.

Avons-nous affaire ici à des réactions épidermiques, provoquées par les tensions du moment, et qui vont se résorber avec le temps ? Ou bien s'agit-il d'un phénomène tenace, durable, difficilement réversible, susceptible d'entraîner les hommes dans une spirale destructrice ?

Mon sentiment, c'est que l'on a basculé, dans les

dernières décennies, d'un scénario à l'autre. D'un scénario classique, souvent observé par le passé – des communautés d'origines différentes qui se retrouvent côte à côte, qui commencent par se méfier les unes des autres et par échanger des coups, avant que leurs relations ne s'apaisent et qu'elles finissent par oublier qu'elles ont été ennemies –, nous avons basculé dans un scénario où ce « happy ending » n'est plus à l'ordre du jour.

Parmi les facteurs déterminants de ce basculement, il y a les turbulences politiques et morales qui ébranlent le monde arabe depuis sa grande défaite de 1967 ; qui se sont aggravées aux alentours de 1979 avec l'avènement des révolutions conservatrices d'Orient et d'Occident ; et qui, à partir du 11 septembre 2001, ont fait « déraper » la planète entière, provoquant des réactions en chaîne qui, aujourd'hui, nous mènent vers l'inconnu – sans doute vers le naufrage.

L'un des aspects les plus préoccupants de ce dérapage, c'est « la dérive orwellienne » que connaît le monde de nos jours. Pardon à l'écrivain britannique pour cette appellation, mais il s'agit, à mes yeux, d'un hommage, comme lorsque nous accolons à une pathologie le nom du savant qui l'a identifiée. Et qui s'est efforcé de la combattre.

7

Ennemi du totalitarisme, George Orwell voulait alerter ses contemporains sur les tyrannies à venir, et l'usage qu'elles pourraient faire des outils modernes pour anéantir toute liberté et toute dignité humaine. La puissante parabole qu'il a imaginée dans son roman *1984* ne pouvait que frapper les esprits et les amener à réfléchir. Allions-nous vers un monde où Big Brother verrait tout et entendrait tout, jusqu'à nos pensées les plus intimes ? Un monde où le langage serait tellement contrôlé, tellement perverti, qu'on ne pourrait plus exprimer que des opinions conformes à la pensée officielle ? Un monde où chaque geste, chaque opinion, chaque sentiment serait observé et jugé par une autorité omnipotente prétendant agir au nom des intérêts supérieurs de l'espèce humaine ?

Né en 1903, Orwell avait pu assister à la montée des deux principaux régimes totalitaires du XXe siècle, celui de Staline et celui d'Hitler. Il s'était battu contre l'un et l'autre ; avec des armes aux côtés des républicains espagnols, puis à travers ses écrits. Il avait pu se réjouir de l'écroulement du nazisme, mais lorsqu'il est mort – prématurément, en 1950, de la tuberculose –, l'autre totalitarisme semblait en plein essor. Staline tenait encore solidement les rênes du pouvoir, auréolé du prestige d'être sorti vainqueur de la Seconde Guerre mondiale ; ses armées occupaient la moitié de l'Europe ; il venait d'obtenir la bombe atomique, et l'issue de l'affrontement entre l'Occident et l'Union soviétique était incertaine. Le cauchemar décrit par l'écrivain partait de l'hypothèse qu'une dictature de type stalinien allait dominer le monde entier, et singulièrement l'Angleterre.

Si ses poumons avaient été mieux soignés, Orwell aurait parfaitement pu vivre jusqu'à l'année emblématique de son œuvre, et au-delà, jusqu'à l'écroulement du régime soviétique. On l'aurait alors fêté en sa présence au lieu de lui rendre un hommage posthume. Et il aurait eu raison de se réjouir, puisque la menace contre laquelle il avait prévenu ses semblables paraissait alors définitivement écartée.

Aujourd'hui, la chose est moins sûre. Sorti par la porte, Big Brother nous revient, en quelque sorte, par la fenêtre. Non en raison de l'avènement d'un nouveau pouvoir totalitaire, mais à cause d'un phénomène plus diffus, et plus pernicieux : la montée inexorable de nos angoisses sécuritaires.

Avec le petit recul que nous avons à l'instant où j'écris ces lignes, il est déjà clair que le monde d'après les attentats du 11 septembre ne ressemblera plus jamais à celui d'avant. La guerre contre le terrorisme se distingue de toutes celles qui l'ont précédée, notamment des deux guerres mondiales ainsi que de la guerre froide, par le fait qu'elle n'a pas vocation à se terminer. C'est un peu comme si l'on avait déclaré la guerre au péché, ou au Mal. Il n'y aura jamais d'après-guerre. À aucun moment on ne pourra baisser la garde et proclamer que le danger est écarté. Surtout lorsqu'on observe ce qui se passe dans le monde arabo-musulman. À quel moment celui-ci retrouvera-t-il son équilibre et sa sérénité ? L'unique certitude que l'on puisse avoir, c'est qu'il faudra plusieurs dizaines d'années avant que les choses n'aient quelque chance de s'arranger.

Une longue période de tumultes nous attend, émaillée d'attentats, de massacres et d'atrocités diverses ; une période forcément périlleuse et traumatisante, au cours de laquelle une puissance comme les États-Unis voudra, quelle que soit l'administration en place, se protéger, se défendre, pourchasser ses ennemis où qu'ils se cachent, écouter toutes leurs conversations téléphoniques, surveiller ce qu'ils écrivent sur Internet, contrôler chacune de leurs transactions financières...

C'est inéluctable, et les dérapages ne peuvent être évités. On voudrait empêcher les transferts de fonds au bénéfice des groupes terroristes. Mais on en profitera aussi pour vérifier si des citoyens américains ne sont pas en train de frauder le fisc. Quel rapport y a-t-il entre le terrorisme et la fraude fiscale ? Aucun. Sauf que, dès lors que l'on a la technologie adéquate et un bon prétexte pour contrôler, on contrôlera.

On cherche à intercepter les communications entre les terroristes, mais on en profitera aussi pour écouter les appels de ses concurrents commerciaux. Quel rapport y a-t-il entre les communications d'un poseur de bombes et celles d'un industriel italien, français ou coréen ? Aucun. Sauf que si l'on a un bon prétexte pour écouter, et que cela peut aider les entreprises américaines, on écoutera. On écoutera même les conversations privées des dirigeants allemands, brésiliens, indiens ou japonais ; et s'ils finissent par le savoir, on s'excusera, puis on recommencera à les écouter en prenant quelques précautions supplémentaires afin que la chose ne s'ébruite pas.

J'ai mentionné en premier les États-Unis, mais la chose est vraie – ou sera vraie dans les années à venir – de la Russie, de la Chine, de l'Inde, de la France, et plus généralement de tous ceux qui auront su acquérir les capacités adéquates.

C'est presque une loi de la nature humaine : tout ce que la science nous donne la capacité de faire, nous le ferons, un jour ou l'autre, sous quelque prétexte. Du moins tant que les avantages nous sembleront supérieurs aux inconvénients.

*

Ayant formulé ces inquiétudes, et avant d'en exprimer quelques autres, je m'empresse de souligner que, fort heureusement, le monde où nous vivons aujourd'hui ne ressemble pas encore à celui qui est décrit dans l'œuvre d'Orwell.

Pour l'heure, les craintes que l'on peut avoir concernent surtout des périls potentiels. Les multiples surveillances

300

auxquelles nos contemporains sont soumis suscitent l'agacement, l'incrédulité, et quelquefois une légitime indignation ; elles ne causent certainement pas l'horreur comme l'écroulement des deux tours new-yorkaises, l'abduction des écolières nigérianes par le sinistre « Boko Haram », ou les décapitations devant caméras. Face à de telles abominations, nos autres frayeurs pâlissent, forcément.

Mais nous aurions tort de sous-estimer les risques inhérents à une dérive « orwellienne ». Parce qu'elle possède une caractéristique qui la rend, à terme, éminemment pernicieuse.

En effet, alors que les actes de sauvagerie meurtrière nous font penser à une régression vers les heures sombres du passé, la dérive contre laquelle nous a prévenus l'auteur de *1984* nous vient plutôt de l'avenir, si j'ose m'exprimer ainsi. Ce qui la rend possible, ce sont justement les avancées de la science et les innovations technologiques, qu'elle accompagne à chaque pas, comme leur ombre, et qu'elle pervertit. Nous croyons avancer, alors qu'en vérité, nous dérivons. Nous progressons dans de nombreux domaines, nous vivons mieux, et plus longtemps. Mais quelque chose se perd en route. La liberté d'aller et de venir, de parler et d'écrire, sans être constamment surveillés.

Comme l'huile d'un réservoir percé, notre liberté fuit, goutte après goutte, sans que nous nous en préoccupions. Tout semble normal. Nous pouvons même continuer à rouler vite, en chantonnant. Jusqu'au moment où le moteur lâche. Le véhicule n'avancera plus.

J'ai évoqué la surveillance des communications télé-phoniques et des transactions bancaires, pour m'inquiéter des utilisations abusives que les autorités sont tentées d'en faire, même dans les grandes nations démocratiques. Ce ne sont que des exemples d'une dérive qui va beaucoup plus loin et que chacun peut observer aujourd'hui dans sa vie quotidienne.

Il m'arrive d'avoir des échanges, par courrier élec-tronique, avec des amis écrivains ou compositeurs. Et depuis quelques années, un phénomène se produit, très régulièrement. Pendant que je leur écris, ou que je lis leurs messages, un petit placard s'affiche sur mon écran me proposant d'acheter leurs livres ou leurs disques. La même chose se produit si je mentionne, dans mon cour-rier, Simone de Beauvoir, Saul Bellow ou Robert Musil. Aussitôt, des placards apparaissent, me proposant d'ache-ter leurs ouvrages moins cher.

La première fois que je m'en suis rendu compte, j'en ai été intrigué, et même irrité ; depuis, je m'y suis habi-tué – ce qui ne veut pas dire que j'approuve le procédé. Celui-ci requiert, pour opérer de la sorte, et avec une telle célérité, un accès immédiat à ce que je suis en train d'écrire, une analyse des mots-clés, et la capacité d'affi-cher instantanément, sur mon écran, un texte généré par ma correspondance privée.

Je n'entrerai pas dans les détails techniques ; je ne suis pas suffisamment compétent et, de toute manière, les chan-gements sont si rapides dans ce domaine que les pratiques qui semblent aujourd'hui novatrices seront probablement devenues obsolètes dans deux ans. Ce qui restera vrai, et qui le sera même de plus en plus, c'est que chaque mot que nous tapons sur un ordinateur, chaque parole que nous prononçons au téléphone, chaque image que nous prenons et conservons sur un support numérique, peuvent être vus ou écoutés par des inconnus, qui ont les moyens de les analyser, de les stocker, et de les employer à leur guise.

En plus d'être écoutés, nous pouvons être, à chaque instant de la journée, localisés et parfois même filmés, grâce à nos téléphones portables, aux caméras de surveillance, aux drones, aux satellites, et à d'autres instruments sophistiqués qui ne manqueront pas d'être inventés. De la sorte, on pourra savoir avec précision qui a rencontré qui, ce qu'ils se sont dit, où chaque personne a passé la nuit, et mille autres faits et gestes.

À titre personnel, tout cela me gêne peu dans ma vie quotidienne. Je sais que les logiciels qui analysent le contenu de mes messages et font apparaître les placards publicitaires sur mon écran ne sont que des automates, et il est peu probable qu'un œil humain cherche à m'espionner. Je n'ai pas la manie du secret, et cela ne me dérange pas trop que l'on sache où j'achète mes livres, mon vin ou mes chemises, et sous quel toit je passe mes nuits.

Mais il n'est point besoin d'échafauder des scénarios alambiqués pour comprendre que la possibilité qui existe aujourd'hui pour diverses autorités de s'immiscer dans la vie intime de nos contemporains peut conduire à d'intolérables abus. Qu'il s'agisse d'agences gouvernementales soucieuses de surveiller les opinions politiques des citoyens, ou de sociétés privées avides de prendre possession des innombrables renseignements que nous fournissons – cet océan de données que l'on a pris l'habitude d'appeler le big data – pour les vendre ensuite à prix d'or. Tout devient marchandise : nos goûts, nos opinions, nos habitudes, notre état de santé, nos coordonnées ainsi que celles des personnes que nous fréquentons, et mille autres éléments encore.

On pourrait débattre à l'infini pour savoir en quoi cette « captation » de nos vies est réellement nuisible, et si ce n'est pas simplement une caractéristique irritante mais inoffensive du monde moderne. Pour ma part, je ne puis m'empêcher de la juger malsaine, et susceptible de nous entraîner sur une pente glissante.

*

La frontière s'efface chaque jour un peu plus entre ce qui, dans notre existence, demeure privé, et ce qui s'étale sur la place publique. Souvent, d'ailleurs, nous sommes nous-mêmes les complices de ce rétrécissement de notre propre espace intime. Par désir de communiquer et de plaire, par mimétisme, par résignation ou par ignorance, nous nous laissons envahir. Nous cherchons rarement à faire le tri entre ce qui nous enrichit et ce qui nous dépouille, entre ce qui nous libère et ce qui nous asservit.

Nous possédons des instruments de plus en plus perfectionnés, qui nous donnent le sentiment d'être prospères et omnipotents ; mais ils sont comme les bracelets électroniques des détenus en liberté surveillée. Ou comme des laisses que nous portons autour du cou, sans nous préoccuper de savoir quelles mains les tiennent à l'autre bout.

Comment s'étonner qu'une telle dérive puisse évoquer, pour certains d'entre nous, l'univers obsédant de *1984*, avec ces yeux innombrables qui poursuivent les habitants dans les rues, dans les bureaux, et jusqu'à l'intérieur des maisons, pour le compte de Big Brother et de sa Police de la Pensée ?

8

Depuis l'adolescence je me suis passionné pour les écrits d'Orwell, tout en posant sur eux un regard critique et sélectif. Si j'ai toujours considéré *La Ferme des animaux* comme un chef-d'œuvre incomparable, j'étais moins séduit par *1984*. L'idée était puissante, indéniablement ; mais, comme c'est souvent le cas pour les romans à thèse, le roman étouffait quelque peu sous la thèse. De plus, lorsque j'ai commencé à suivre de près les événements du monde, Staline était mort, sa dépouille venait d'être retirée du mausolée de la place Rouge, et l'on avait même débaptisé la ville de Stalingrad ; la menace d'un stalinisme triomphant, contre laquelle nous prévenait ce livre, n'était plus très crédible, et la sirène d'alarme qu'il faisait retentir paraissait sans objet.

Je me suis réconcilié avec *1984* le jour où j'ai compris que le plus important, dans une œuvre littéraire, ce n'était pas le message que l'auteur avait souhaité nous transmettre, mais les nourritures intellectuelles et affectives que chaque lecteur pouvait y puiser lui-même. Pour ma part, ce dont j'ai pris conscience en relisant ce roman à l'âge adulte, c'est qu'un risque existait, pour les sociétés humaines, aussi avancées soient-elles, d'être prises un jour dans un engrenage qui remettrait en cause tout ce qu'elles ont bâti depuis l'aube des temps.

Il est vrai que la forme que revêt aujourd'hui cette menace n'est pas celle que l'auteur redoutait. Son imaginaire était conditionné par les réalités de son temps : ayant connu les dérives totalitaires de son siècle, il croyait savoir d'où viendraient les tyrannies futures, au nom de quelles croyances elles gouverneraient, et par quelles méthodes elles se perpétueraient. En cela, il se trompait. Mais sur l'essentiel, il avait raison. Parce qu'il y avait chez lui, par-delà sa détestation des dictatures de gauche comme de droite, une inquiétude plus fondamentale encore, celle de voir la science détournée, les idéaux pervertis, et l'humanité asservie par cela même qui était censé la libérer.

C'est cette inquiétude qu'il nous a transmise à travers ses écrits. Et elle demeure, hélas, parfaitement justifiée. Sinon en raison du cauchemar totalitaire qui l'obsédait, du moins par d'autres cauchemars, qui l'auraient sans doute horrifié s'il les avait imaginés.

Un monde apeuré, où la surveillance quotidienne de nos faits et gestes serait dictée par notre désir réel et légitime d'être protégés à chaque instant, n'est-il pas, finalement, plus inquiétant encore qu'un monde où cette surveillance serait imposée de force par un tyran paranoïaque et mégalomane ?

Dans l'esprit d'Orwell, l'appellation de « Big Brother », « Grand Frère », était évidemment mensongère, comme l'était celle de « Petit père des peuples » dont on affublait parfois Staline. Supposer un caractère « fraternel » ou « paternel » aux liens entre l'oppresseur et ses victimes résulte forcément d'une sinistre perversion. Mais pour nous qui vivons au XXIe siècle, ces yeux électroniques qui nous suivent partout ne sont pas ressentis comme hostiles.

Face au monde grimaçant qui nous entoure, nous éprouvons de plus en plus le besoin d'être en sécurité. De ce fait, nous ne voyons pas ceux qui assurent notre protection comme des oppresseurs, mais comme d'authentiques « grands frères ». Ces derniers ne nourrissent, d'ailleurs, aucun dessein maléfique ; leurs incursions dans notre univers intime résultent généralement d'une dérive où ils sont entraînés en même temps que nous.

N'ai-je pas reconnu moi-même que de tels empiétements ne me gênaient pas trop dans ma vie quotidienne ? Il est vrai que, dans l'ensemble, je m'en accommode facilement, et que j'y vois quelquefois des avantages. Il en est de même, je suppose, pour la plupart de mes contemporains. Lorsque nous apprenons qu'un malfaiteur a pu être identifié grâce à des caméras qui filmaient en permanence les rues qu'il avait empruntées, ou qu'un dirigeant corrompu a pu être confondu grâce à ses factures téléphoniques détaillées, affectueusement surnommées « fadettes », nous nous en félicitons.

C'est seulement quand nous nous trouvons en présence d'une invasion outrancière de notre propre intimité qu'il nous arrive de nous rebiffer et de nous indigner. Mais notre indignation est de courte durée. Et de faible intensité. C'est comme si notre capacité à réagir était engourdie, ou anesthésiée.

Dans d'autres circonstances que celles où nous vivons aujourd'hui, la moindre entrave à nos libertés aurait provoqué chez nous une explosion de colère. Que l'on puisse nous écouter, nous filmer, surveiller nos allées et venues, nous aurait paru totalement inacceptable ; que l'on se permette, dans les aéroports, de nous fouiller, de nous scanner, de nous contraindre à ôter nos souliers ou nos ceintures, nous aurait paru insultant ; des ligues de citoyens se seraient formées, pour imposer aux autorités des limites strictes.

Mais ce n'est pas ainsi que nous réagissons. Si je me hasardais à puiser dans le vocabulaire de la biologie, je dirais que ce qui s'est passé dans le monde au cours des dernières décennies a eu pour effet de « bloquer » en nous « la sécrétion des anticorps ». Les empiétements sur nos libertés nous choquent moins. Nous ne protestons que mollement. Nous avons tendance à faire confiance aux autorités protectrices ; et s'il leur arrive d'exagérer, nous leur accordons des circonstances atténuantes.

Cet engourdissement de notre esprit critique représente à mes yeux une évolution significative et fort préoccupante.

J'ai quelquefois parlé, dans ce livre, de l'engrenage dans lequel nous sommes tous entraînés en ce siècle. C'est au travers de cette idée d'un « blocage des anticorps » que l'on peut observer de près le mécanisme de l'engrenage :

la montée des tensions identitaires nous cause des frayeurs légitimes, qui nous amènent à rechercher la sécurité à tout prix, pour nous-mêmes comme pour ceux que nous aimons, et à nous montrer vigilants dès que nous nous sentons menacés. De ce fait, nous sommes moins vigilants sur les abus auxquels cette attitude de vigilance permanente peut conduire ; moins vigilants quand les technologies empiètent sur notre vie privée ; moins vigilants quand les pouvoirs publics modifient les lois dans un sens plus autoritaire et plus expéditif ; moins vigilants face aux risques d'une dérive « orwellienne »...

*

Il y a un équilibre à trouver, pour chaque génération, entre deux exigences : se protéger de ceux qui profitent du système démocratique pour promouvoir des modèles sociaux qui anéantiraient toute liberté ; et se protéger aussi de ceux qui seraient prêts à étouffer la démocratie sous prétexte de la protéger. Aujourd'hui, cet équilibre ne me semble pas encore rompu, malgré quelques écarts dans un sens ou dans l'autre ; mais les perspectives d'avenir ne sont guère réconfortantes. Une dynamique infantilisante et potentiellement asservissante est enclenchée, qui sera difficile à freiner ; les avancées technologiques vont inévitablement lui ouvrir de nouveaux champs d'action, et les menaces qui la justifient ne disparaîtront pas. Certains y voient une entreprise sournoise, sinon totalitaire du moins autoritaire et manipulatrice ; pour ma part, je n'y vois, hélas, qu'une conséquence inéluctable des démons identitaires qui se déchaînent sur le monde, et que nous avons été incapables de dompter.

Cette dynamique calamiteuse pourrait même s'aggraver et s'accélérer au-delà de ce qui est aujourd'hui concevable. Je n'ose imaginer ce que seront les comportements de nos contemporains si nos villes subissaient demain des attaques massives, impliquant des armes non conventionnelles – bactériologiques, chimiques ou nucléaires.

J'espère que l'on évitera de tels cataclysmes, mais il n'est malheureusement pas déraisonnable de penser qu'ils pourraient un jour se produire, et que leurs conséquences sur nos sociétés seraient dévastatrices.

Même si l'on parvenait à retarder indéfiniment de telles abominations, la dérive se poursuivra. À chaque scrutin, on le constate, en Europe, aux États-Unis, et ailleurs, les électeurs prêtent désormais l'oreille à ceux qui leur disent qu'il faut se protéger par tous les moyens, bien plus qu'à ceux qui les préviennent contre l'usage immodéré de la force et contre l'obsession sécuritaire. C'est là une attitude compréhensible pour qui redoute d'être pris pour cible, et qui s'estime bafoué ; reste à savoir jusqu'où peut aller cette aspiration à être protégé sans qu'elle remette en cause d'autres aspirations tout aussi légitimes.

La marche du monde, telle qu'on peut l'observer aujourd'hui, ne va certainement pas apaiser les frayeurs sécuritaires de nos sociétés.

À dire vrai, je ne trouve pas un seul scénario dans

lequel cette tendance pourrait s'inverser. Tout porte à croire qu'elle se poursuivra, parfois lentement et parfois de manière accélérée, mais toujours dans la même direction : celle d'une aggravation des frayeurs.

À quoi ressembleront nos pays dans vingt ans, ou dans cinquante ans ? J'aurais aimé pouvoir prédire que les changements dans le paysage politique comme dans le paysage intellectuel se révéleront éphémères, que les inquiétudes concernant le terrorisme ou les migrations se révéleront passagères, et que nos sociétés sortiront de ces épreuves plus généreuses, plus tolérantes, plus magnanimes. Ce n'est malheureusement pas ce qui se profile à l'horizon. Il est à craindre que nos contemporains et leurs descendants seront de plus en plus attentifs aux voix qui leur diront qu'il vaut mieux vivre dans une forteresse aux murs hauts, efficacement protégée, même s'il fallait, pour cela, mettre en veilleuse certaines libertés, et certaines valeurs.

« Le choix, pour l'humanité, est entre la liberté et le bonheur, et pour la grande majorité, le bonheur est meilleur », faisait dire Orwell, avec cynisme, à l'un des personnages de *1984*. Personne ne nous présentera les choses de manière aussi crue ; mais, dans le contexte de ce siècle, un tel dilemme ne paraît plus complètement insensé.

9

Si j'ai évoqué longuement la dérive « orwellienne », c'est parce qu'elle compromet l'avenir de la démocratie, de l'État de droit comme de l'ensemble des valeurs qui donnent un sens à l'aventure humaine. Mais cette menace, aussi angoissante soit-elle, n'est pas la seule qui se profile à l'horizon. Dans un monde en décomposition, où prévaut l'égoïsme sacré des tribus, des individus et des clans, bien des situations se compliquent et s'enveniment, au point de devenir impossibles à gérer.

Un exemple parmi d'autres, et pas des moindres : celui des perturbations climatiques. Depuis quelques décennies, des savants nous préviennent contre le réchauffement de la planète et les effets cataclysmiques qu'il pourrait entraîner : des terres inondées et d'autres frappées par la sécheresse, ce qui risque de provoquer des migrations massives ; peut-être même un emballement des températures qu'on ne pourrait plus freiner, et qui rendrait la Terre inhabitable.

Sans arrêt l'on nous avertit que les mesures prises jusqu'ici pour prévenir le désastre sont insuffisantes, que leur incidence est négligeable, et que les signes alarmants se multiplient : la taille des glaciers diminue plus vite que prévu, certains courants marins se comportent de manière erratique, des phénomènes météorologiques extrêmes se produisent à un rythme inouï. Et au sortir de chaque année nous apprenons qu'elle a été parmi les plus chaudes qu'on ait jamais mesurées.

Je n'ignore pas qu'il y a des sceptiques, et il est légitime qu'un débat se poursuive. Mais lorsque tant de savants respectables se montrent si préoccupés, il faudrait à tout le moins envisager qu'ils puissent ne pas être dans l'erreur.

À dire vrai, j'espère qu'ils se trompent. Car si, par malheur, leurs hypothèses se révélaient justes, comme je le redoute, alors la catastrophe paraît, vu l'état d'égarement qui règne de nos jours, difficilement évitable. Tel dirigeant estime que les avertissements des savants ne sont que des jérémiades motivées par une vision idéologique mondialiste, et qu'il faut continuer à accorder la priorité absolue aux performances économiques ; tel autre considère que son pays fait déjà suffisamment d'efforts, et que c'est aux plus industrialisés ou aux plus pollueurs d'assumer leur part du fardeau ; tel autre encore se contente d'annonces vertueuses, ou de mesures ayant de bonnes retombées médiatiques, sans trop se soucier de leur effet réel...

Quelles que soient les raisons que l'on invoque pour ne rien faire, ou pour faire le moins possible, il est clair que le monde d'aujourd'hui, qui se caractérise par une méfiance croissante envers les instances internationales et par une glorification du chacun-pour-soi, est totalement incapable de produire l'élan de solidarité qu'il faudrait pour faire face à un péril de cette ampleur.

Un jour, on se rappellera avec effarement qu'en décembre 2018, au soir d'un samedi chaotique dans les rues de Paris, un président américain s'est félicité publiquement que des émeutes se soient produites dans la ville où fut signé l'accord international sur la lutte contre le réchauffement.

À cette menace climatique s'ajoute une autre, moins inhabituelle pour qui s'intéresse à l'Histoire, mais tout aussi inquiétante : la course aux armements. Après s'être calmée depuis l'éclatement de l'Union soviétique, elle reprend désormais de plus belle, notamment entre les pays qui rêvent de devenir ou de redevenir de grandes puissances planétaires, et les États-Unis qui sont déterminés à les en empêcher.

Une immense nation comme la Chine, qui s'est développée à une vitesse vertigineuse dans les dernières décennies, a naturellement l'ambition de jouer un rôle de premier plan sur la scène mondiale. Elle possède pour cela les ressources humaines, les moyens financiers, les capacités industrielles, et elle est en train de rattraper à grands pas le retard qu'elle avait dans certaines technologies militaires de pointe. Elle dispose aussi d'un système politique capable de planifier à long terme, un atout fort rare dans le monde d'aujourd'hui.

La compétition entre Pékin et Washington, dont on voit les prémices, sera forcément rude ; elle prendra souvent des allures de guerre commerciale, médiatique, diplomatique ou cybernétique, et elle s'accompagne déjà d'une course aux armements effrénée, sur terre et dans l'espace.

La Russie également compte jouer un rôle plus important. Elle était sortie de la guerre froide ruinée, humiliée et démoralisée, et elle s'efforce à présent de reconquérir le terrain perdu – politiquement, comme en Syrie, ou même géographiquement, comme en Crimée. Pour Moscou aussi, un bras de fer avec Washington, comme avec le reste de l'Occident, est engagé dans divers domaines.

À ces grandes puissances s'ajoutent d'autres, qui ambitionnent de jouer un rôle mondial ou régional plus affirmé, et qui prendront part, elles aussi, à la course aux armements. Je songe à l'Inde, au Pakistan, à la Turquie, à l'Iran comme à Israël, sans oublier la France, l'Allemagne, les deux Corée ou le Japon.

Une telle « mêlée » n'est pas sans précédent. À chaque siècle, on a vu certains pays convoiter une place plus éminente, et d'autres riposter, reconquérir, ou au contraire reculer, puis s'effondrer. Leurs affrontements étaient, d'ailleurs, bien plus féroces que les nôtres.

Ce qui rend notre époque plus périlleuse, c'est qu'en raison même de nos progrès scientifiques, un savoir-faire pernicieux s'est propagé sur l'ensemble de la planète, et de nouveaux instruments de mort ne cessent de se développer. De nombreux États les possèdent ou cherchent à les acquérir, ainsi que des mouvements extrémistes, voire des organisations mafieuses.

De ce fait, les dérapages sont plus difficiles à éviter,

et leurs conséquences pourraient se révéler dévastatrices. Comment ne pas songer avec angoisse aux « bombes sales » capables de répandre autour d'elles des substances radioactives et de contaminer pour longtemps des provinces entières ; ou, pire encore, à ces flacons dont on nous dit que le contenu pourrait anéantir la population d'une ville ?

Tant de protagonistes à travers le monde rêvent d'en finir une fois pour toutes avec leurs ennemis jurés, et dans certaines circonstances, ils risquent de passer à l'acte. Il faut seulement espérer qu'ils n'en auront jamais la possibilité !

*

Ce que l'humanité sait faire de meilleur est perverti par ce qu'elle sait faire de pire – tel est le paradoxe tragique de notre temps, et il se vérifie dans de nombreux secteurs.

Même les avancées médicales les plus prometteuses et les plus bénéfiques pour l'avenir de notre espèce peuvent devenir périlleuses dans un monde qui se décompose. Si demain la science parvenait à maîtriser le processus de vieillissement des cellules ainsi que celui du remplacement des organes, et donc à prolonger considérablement la durée de vie, ne serait-ce pas là, indéniablement, une évolution fascinante ? Mais elle serait également effrayante, vu que ces techniques coûteuses ne profiteraient qu'à une infime fraction de la population mondiale, du moins pour deux ou trois générations ; et que cette minorité d'élus se détacherait alors de la masse de ses contemporains pour constituer une humanité différente, ayant une longévité très supérieure à celle du commun des mortels. Comment cette disparité-là, aboutissement ultime de toutes les inégalités, serait-elle vécue ? Les exclus de la longue vie s'accommoderaient-ils de leur sort ? On peut supposer, au contraire, qu'ils redoubleraient de colère et rêveraient d'une revanche sanglante.

Et les privilégiés ? Ne seraient-ils pas tentés de se barricader derrière de hauts murs, et d'anéantir sans pitié ceux qui les menaceraient ?

Cette perspective peut paraître lointaine, mais il y en a une autre, qui va dans le même sens, et qui est, quant à elle, toute proche, et même en voie de se réaliser. Je veux parler des avancées prodigieuses de l'intelligence artificielle, de la robotisation comme de la miniaturisation, qui ont pour conséquence de transférer à des machines sophistiquées d'innombrables activités qui étaient jusqu'ici l'apanage des humains.

Les origines de cette évolution sont évidemment très anciennes, elles remontent au commencement de l'ère industrielle. En ce temps-là, la mécanisation, fort critiquée et parfois même diabolisée, s'était néanmoins révélée bénéfique, puisqu'elle avait permis de réduire les coûts et de stimuler la production tout en libérant les travailleurs des tâches les plus ingrates. Mais ce qui arrive de nos jours est d'une autre nature. Ce ne sont pas seulement les gestes routiniers que l'on cherche à reproduire, c'est l'intelligence humaine dans son incroyable complexité qui est désormais imitée, et progressivement dépassée.

Comme chacun sait, le meilleur joueur d'échecs est aujourd'hui un ordinateur, de même que le meilleur joueur de go. Et ce ne sont là que deux petits fanions plantés sur le sommet visible de l'iceberg.

Le remplacement des hommes par des machines peut évidemment se vérifier, chaque jour davantage, dans tous les secteurs d'activité, qu'il s'agisse du transport, du commerce, de l'agriculture, de la médecine ou, bien entendu, de la production industrielle. Il y a déjà des robots chauffeurs, des robots livreurs, des robots réceptionnistes, des robots caissiers, des robots interprètes, des robots chirurgiens, des robots douaniers, etc. La liste est interminable, et elle ne cesse de s'allonger avec les progrès de la recherche. Tout porte à croire que « nos cousins mécaniques » seront à l'avenir omniprésents dans nos maisons, nos rues, nos bureaux, nos magasins et nos usines.

J'emploie constamment le terme de « robot », bien qu'il soit quelquefois impropre. Les machines dotées d'un certain degré d'intelligence ou d'habileté n'ont pas toujours une apparence humaine, et si certaines possèdent des bras, des jambes, une tête et une voix, beaucoup d'autres ont tout bêtement des allures, des scintillements et des cliquetis de machines. Mais le mot lui-même, adopté tel quel dans de nombreuses langues, a conservé de ses origines tchèques l'idée mythique d'un travail dont l'homme se déchargerait sur une créature fabriquée à son image parce qu'il lui serait pénible, désagréable ou physiquement impossible de l'effectuer lui-même.

Demain, quand on voudra explorer Mars, Jupiter et

Saturne, ou des planètes plus lointaines encore, situées à l'extérieur du Système solaire, quels astronautes pourra-t-on envoyer, sinon des robots ? Eux seuls seraient capables d'accomplir des missions de trente ans ou de quatre-vingts ans, dans des conditions atmosphériques insupportables pour nous. Et eux seuls pourraient établir une base permanente sur notre lune, sans se préoccuper de la rareté de l'oxygène.

De l'épopée des astronautes humains, il ne resterait alors que le souvenir d'un temps héroïque, celui des premiers tâtonnements.

Il est probable qu'un phénomène similaire se produira dans le domaine militaire, du moins pour les pays les plus riches. Pourquoi enverraient-ils leurs soldats à la mort, alors que les mêmes missions pourraient être remplies par des robots assistés de drones ? J'ai l'air de verser dans la science-fiction, mais c'est une question que certains États se posent déjà, et à laquelle des chercheurs travaillent chaque jour.

Il y a, certes, des tâches dont un soldat humain peut s'acquitter bien mieux qu'un automate. Mais l'inverse est bien plus vrai encore. Un robot peut être programmé pour courir à cent kilomètres à l'heure, et il peut avoir la taille d'un écureuil, d'un éléphant ou d'un rat. Il a surtout l'immense avantage de ne susciter, s'il « mourait » au combat, aucun remous sur le front interne. Ni body bags, ni cercueils recouverts d'un drapeau, ni familles en deuil, ni vétérans traumatisés, ni manifestations pour exiger que l'on ramène « nos enfants » au pays. Bien entendu, il continuerait à y avoir des victimes dans le camp opposé, mais c'est là un problème d'un autre ordre, que les dirigeants n'ont aucun mal à gérer politiquement et médiatiquement.

Nous cherchons parfois à nous rassurer en rappelant que derrière tous ces robots, aussi perfectionnés soient-ils, il y a toujours la main et le cerveau de l'homme. Sans doute, mais la question n'est pas là. Il ne s'agit pas de savoir si l'Humain, avec un grand H, restera nécessaire ; il s'agit de savoir de combien d'humains on aura encore besoin dans vingt ans, ou dans quarante ans. Si la tendance actuelle à la robotisation se poursuit, des centaines de millions d'emplois finiront par disparaître, et dans quelques décennies, seule une petite fraction de nos congénères demeurera partie prenante dans la production des richesses.

Que deviendraient alors les autres, les milliards d'autres ? Écartés du monde du travail, marginalisés, et littéralement « désaffectés », comment vivraient-ils ? Seraient-ils entretenus, au nom de la solidarité humaine, par la minorité « utile » ? Celle-ci ne risque-t-elle pas de les percevoir plutôt comme superflus, encombrants, parasitaires et potentiellement nuisibles ?

La notion même d'humanité, patiemment construite au fil des millénaires, serait alors vidée de son sens.

*

Je viens de passer en revue quelques-uns des périls auxquels nous sommes ou serons confrontés en ce siècle. J'aurais pu en évoquer tant d'autres !

Certains devaient forcément surgir un jour sur notre

route, vu qu'ils découlent directement des progrès de notre savoir ; d'autres sont plutôt dus aux égarements que nous avons connus dans les dernières décennies.

Il est clair, en tout cas, que nous sommes entrés dans une zone tumultueuse, imprévisible, hasardeuse, et qui semble destinée à se prolonger. La plupart de nos contemporains ont cessé de croire en un avenir de progrès et de prospérité. Où qu'ils vivent, ils sont désemparés, rageurs, amers, déboussolés. Ils se méfient du monde bouillonnant qui les entoure, et sont tentés de prêter l'oreille à d'étranges fabulateurs.

Tous les dérapages sont désormais possibles, et aucun pays, aucune institution, aucun système de valeurs ni aucune civilisation ne semble capable de traverser ces turbulences en demeurant indemne.

Épilogue

No siempre lo peor es cierto.

Le pire n'est pas toujours certain.

Pedro Calderón de la Barca (1600-1681),
titre d'une comédie

Épilogue

En entamant cette méditation sur l'époque déconcertante où il m'a été donné de vivre, je me suis promis de ne parler de moi-même que lorsque j'avais été, directement ou à travers mes proches, un témoin oculaire des événements ; et seulement si je pouvais apporter, par un récit à la première personne, un éclairage utile. Je ne voulais surtout pas me départir de mon rôle de spectateur, ni accorder à ma propre vision des choses une place démesurée.

Plus d'une fois, je me suis même arrêté, entre deux chapitres, pour m'assurer que je n'étais pas victime d'une « illusion d'optique », que c'était vraiment le monde qui faisait naufrage, pas seulement mon monde à moi – l'Égypte de ma mère, le Liban de mon père, ma civilisation arabe, ma patrie adoptive, l'Europe, ainsi que mes vaillants idéaux universalistes. Mais à chaque fois je me suis remis à l'ouvrage, persuadé de n'être malheureusement pas dans l'erreur.

Non, ce n'est pas la nostalgie qui parle à travers moi, c'est mon inquiétude pour l'avenir, c'est ma crainte légitime de voir mes enfants, mes petits-enfants et leurs contemporains, vivre dans un monde de cauchemar. Et c'est aussi ma crainte de voir disparaître tout ce qui donne un sens à l'aventure humaine.

Lorsque j'ai évoqué, au tout premier paragraphe du livre, la civilisation mourante dans les bras de laquelle je suis né, je ne pensais pas uniquement à celle du Levant. Sans doute était-elle un peu plus mourante que d'autres, si j'ose dire ; elle a toujours été fragile, vacillante, évanescente, et à présent elle est en ruine. Mais elle n'est pas la seule dont je me réclame, ni la seule qui m'ait nourri, ni la seule, non plus, qui soit aujourd'hui menacée de sombrer.

Je me dois d'ajouter, concernant ma civilisation d'origine, que si sa disparition est forcément une tragédie pour ceux qui ont grandi en son sein, elle l'est à peine moins pour le reste du monde. Je demeure convaincu, en effet, que si le Levant pluriel avait pu survivre et prospérer et s'épanouir, l'humanité dans son ensemble, toutes civilisations confondues, aurait su éviter la dérive que nous observons de nos jours.

C'est à partir de ma terre natale que les ténèbres ont commencé à se répandre sur le monde.

Cette dernière phrase, j'aurais hésité à l'écrire il y a quelques années, j'aurais eu l'impression d'extrapoler grossièrement à partir de ma propre expérience et de celle des miens. Aujourd'hui, il ne fait plus de doute que les convulsions qui secouent la planète sont directement liées à celles qui ont agité le monde arabe dans les dernières décennies. Je n'irai pas jusqu'à dire que les flammes qui ont embrasé le centre du Caire en janvier 1952, et celles qui ont embrasé les deux tours new-yorkaises un demi-siècle plus tard, relèvent d'un même incendie. Mais chacun peut constater à présent qu'il existe un lien de cause à effet entre le naufrage de « mon » Levant natal et celui des autres civilisations.

Au cours de mes soixante-dix ans d'existence, j'ai pu assister, de près ou de loin, à une interminable succession d'événements. À présent, je les embrasse du regard comme s'ils faisaient tous partie d'une même fresque. Je perçois les lignes de force, les enchevêtrements de couleurs, les zones d'ombre, les sinuosités, et j'ai le sentiment de pouvoir « décrypter » mieux qu'avant l'univers qui m'entoure.

Je ne nierai pas que j'ai parfois poussé la témérité un peu loin en assignant à des évolutions complexes des dates trop précises ; en écrivant, par exemple, que le désespoir arabe était né le 5 juin 1967, ou que « l'année du grand retournement » dans le monde a été 1979. J'aurais pu me limiter à des formulations plus approximatives, et moins facilement attaquables. Mais j'ai voulu privilégier l'urgence, l'efficacité et la clarté. J'ai fait confiance à mon intuition de témoin proche et attentif, en espérant que les grains de vérité que renferment mes affirmations imprudentes se révéleront utiles pour qui veut réellement comprendre les drames qui se profilent à l'horizon.

*

En agitant, comme je l'ai fait dans ce livre, le spectre d'un naufrage imminent, n'ai-je pas pris le risque de désespérer ceux qui me liraient ?

Mon intention n'était sûrement pas de prêcher le

découragement, mais il est du devoir de chacun, dans les circonstances si graves que nous traversons en ce siècle, de demeurer lucide, sincère, et digne de confiance. Quand, pour calmer les frayeurs de ses contemporains, on choisit de nier la réalité des périls et de sous-estimer la férocité du monde, on court le risque d'être très vite démenti par les faits.

Si les routes de l'avenir sont semées d'embûches, la pire conduite serait d'avancer les yeux fermés en marmonnant que tout ira bien.

Je suis persuadé, d'ailleurs, qu'un sursaut demeure possible. Il m'est difficile de croire que l'humanité se résignera docilement à l'anéantissement de tout ce qu'elle a construit. Toutes les sociétés humaines et toutes les civilisations sont perdantes tant que l'on s'égare de la sorte, et toutes seraient gagnantes si l'on redressait le cap. Le jour où on en prendra conscience, les comportements se modifieront radicalement, la dérive sera enrayée, et une dynamique salutaire se mettra en place.

Il est donc nécessaire, et même impératif, d'alerter, d'expliquer, d'exhorter et de prévenir. Sans lassitude, ni complaisance, ni découragement. Et sans hargne, surtout. En gardant constamment à l'esprit que les drames qui se produisent de nos jours résultent d'un engrenage dont personne ne contrôle les mécanismes, et où nous sommes tous entraînés, pauvres et riches, faibles et puissants, gouvernés et gouvernants, que nous le voulions ou pas, et quelles que soient nos appartenances, nos origines ou nos opinions.

Par-delà les péripéties et les urgences de l'actualité quotidienne, par-delà le vacarme de ce siècle et ses bavardages assourdissants, il y a une préoccupation essentielle, qui devrait guider en permanence nos réflexions et nos actions : comment persuader nos contemporains qu'en demeurant prisonniers des conceptions tribales de l'identité, de la nation ou de la religion, et en continuant à glorifier l'égoïsme sacré, ils préparent à leurs propres enfants un avenir apocalyptique ?

Dans un monde où les diverses populations se côtoient d'aussi près, et où tant d'armes dévastatrices se trouvent dans d'innombrables mains, on ne peut donner libre cours aux passions et aux avidités de chacun. Si l'on s'imagine que, par la vertu d'un quelconque « instinct de survie collectif », les périls vont se dissiper d'eux-mêmes, on ne fait pas preuve d'optimisme et de foi dans l'avenir, on est dans le déni, l'aveuglement et l'irresponsabilité.

*

De chacun des périls que j'ai évoqués dans ce livre, nous avons eu, dans les dernières années, des aperçus révélateurs, parfois même des ébauches angoissantes – comme un avant-goût de ce qui pourrait se passer demain si la dérive n'était pas enrayée. Saurons-nous en tirer les leçons avant que ces calamités ne nous frappent de plein fouet ? Aurons-nous la force d'âme de nous ressaisir et de redresser le cap avant qu'il ne soit trop tard ?

Je veux encore l'espérer. Il serait triste que le paquebot des hommes continue à voguer ainsi vers sa perte, inconscient du danger, persuadé d'être indestructible, comme l'était jadis le *Titanic* – avant d'aller s'abîmer dans la nuit contre sa fatidique montagne de glace, tandis que l'orchestre jouait *Plus près de Toi, Seigneur*, et que le champagne coulait à flots.

Table

Composition et mise en pages
Nord Compo à Villeneuve-d'Ascq

Cet ouvrage a été achevé d'imprimer sur Roto-Page
par l'Imprimerie Floch à Mayenne
pour le compte des Éditions Grasset
en janvier 2020

PAPIER À BASE DE
FIBRES CERTIFIÉES

Grasset s'engage pour
l'environnement en réduisant
l'empreinte carbone de ses livres.
Celle de cet exemplaire est de :
650 g éq. CO$_2$
Rendez-vous sur
www.grasset-durable.fr

N° d'édition : 21384 – N° d'impression : 95646
Première édition, dépôt légal : mars 2019
Nouveau tirage, dépôt légal : janvier 2020
Imprimé en France